Table of Contents

Índice

Prefacio

En 1991, Head Start Bureau publicó el Memorándum y la guía de recursos titulados *Principios multiculturales para los programas Head Start* (que en lo sucesivo se denominarán *Principios multiculturales*) luego de dos años de trabajo realizado por el Grupo de Trabajo Multicultural de Head Start. Su finalidad era "desafiar" a los programas a fin de que estos pudieran "centrar su labor en la individualización de los servicios para que cada niño y su familia se sientan respetados y valorados y puedan llegar a aceptar y apreciar la diferencia" (Administración para Niños, Jóvenes y Familias, 1991, p. 3). Este Memorándum planteó el siguiente reto a los programas:

> La programación eficaz de Head Start requiere la comprensión, el respeto y la receptividad hacia las culturas de todos los pueblos, pero en particular hacia las culturas de las familias y de los niños matriculados (Administración para Niños, Jóvenes y Familias, 1991, p. 5)

Esta perspectiva sugiere que los programas Head Start son eficaces cuando sus sistemas y servicios reflejan un entendimiento bien desarrollado de las culturas de las familias que están matriculadas en el programa. Asimismo, cada empleado debe poder demostrar su respeto por las distintas culturas que se ven representadas dentro de su área de servicio y responder adecuadamente a ellas. Los *Principios multiculturales* también reconocían que los empleados y los administradores mismos del programa están arraigados en sus *propias* culturas. *La cultura* es, por lo tanto, una característica fundamental de los sistemas y servicios que se prestan en los programas Head Start.

Introducción

"La composición cultural, racial y étnica de la comunidad de Head Start está adquiriendo características cada vez más diversas debido a que Head Start refleja los cambios demográficos que están ocurriendo en los Estados Unidos". (Administración para Niños, Jóvenes y Familias, 1991, p. 7)

En el siglo XXI, los cambios demográficos a los cuales se hacía referencia en el Memorándum de Información de 1991 han continuado con un marcado crecimiento. Muchos programas Head Start y Early Head Start se ven enfrentados a la situación de que muchas áreas de servicio son cada vez más diversas en cuanto a su composición racial, étnica, cultural y lingüística. Además, desde 1991, una amplia gama de trabajos de investigación, tanto en los Estados Unidos como en otros países, ha explorado las relaciones que existen entre la cultura, el idioma y el desarrollo infantil. Estas investigaciones reafirman de manera casi absoluta el valor de los *Principios multiculturales* que se publicaron originalmente. En una época de diversidad cultural y lingüística cada vez mayor en las comunidades, es especialmente importante que los programas Head Start elaboren planes a largo plazo a fin de comprender e incorporar las implicaciones clave de la investigación en sus sistemas y en sus labores de entrega de servicios.

Este documento tiene dos metas principales: la primera, entregarles a todos los programas Head Start (incluyendo a Head Start, Early Head Start, Head Start para familias de indios estadounidenses y nativos de Alaska y a Head Start para familias migrantes y trabajadores de temporada) una versión revisada y actualizada de los *Principios multiculturales*; la segunda, proporcionar un análisis selectivo de los estudios de investigación que se han realizado desde que se publicaron por primera vez los *Principios multiculturales* en 1991. Existen varios motivos de por qué se volvió a revisar y actualizar el manual original de recursos, entre ellos, los siguientes:

- Desde 1991, se han modificado las *Normas de Desempeño del Programa Head Start*; también se creó y se ha ampliado el programa Early Head Start.

- La literatura de investigación en torno al tema de las influencias culturales en el desarrollo de la adquisición del primer y segundo idioma ha aumentado de manera considerable.

- El 12 de diciembre de 2007, el Presidente George W. Bush firmó la Ley de Mejoras a Head Start para la Preparación Escolar. La ley estipulaba, entre otros requisitos, que las agencias de Head Start "debían ayudar a los niños en su progreso hacia la adquisición del idioma inglés, a la vez que van logrando progresos importantes en adquirir los conocimientos, las habilidades y las aptitudes en todos los dominios del Marco de los Resultados del Niño, incluyendo aquellos avances que realicen al recibir servicios educativos cultural y lingüísticamente apropiados". Además, la Ley exigía mejoras en las labores de extensión educativa y un incremento en el número de matrículas y en la calidad de servicios para los niños y sus familias, en especial en aquellas comunidades que han experimentado un aumento en el influjo de hablantes de otras lenguas fuera del inglés. También exigía mejoras en la entrega de servicios a niños y familias "en cuyos hogares el idioma hablado no es tradicionalmente el inglés". Con respecto a las *Normas de Desempeño del Programa Head Start* actuales, la Ley estipula que "cualquier tipo de revisión efectuada a dichas normas no originará la eliminación o disminución de la calidad, el alcance o el tipo [de servicios]". (Ley de Mejoras a Head Start para la Preparación Escolar de 2007, Ley Pública 110-134, sec. 640)

- Head Start tiene una larga trayectoria brindando servicios a grupos lingüísticamente diversos. Entre los niños y las familias de Head Start se hablan más de 140 idiomas. Casi tres de cada diez niños que ingresan a Head Start hablan un idioma en el hogar que no es el inglés. Estas cifras han ido aumentando en los últimos años; al momento de redactarse este documento, sólo un 14 por ciento de los programas Head Start de todo el país prestaba servicios exclusivamente a niños angloparlantes. En otras palabras, prácticamente nueve de cada diez programas Head Start matriculan a niños provenientes de familias que hablan otras lenguas que no son el inglés.

- El Memorándum de Información de 1991 indicaba que tener un conocimiento de las culturas y de los idiomas hablados en el hogar de los niños era esencial para poder proporcionar servicios de Head Start que fueran eficaces. Este requisito es ahora más importante que nunca. En la actualidad, los programas necesitan comprender claramente las *implicaciones* de la investigación actual como también ampliar sus servicios a través de *prácticas aplicadas* consideradas.

Organización de este documento

Este documento vuelve a examinar los *Principios multiculturales* originales. En algunos casos, se modificó la redacción de determinados principios para que pudieran reflejar el uso actual (por ejemplo, el término "componentes" fue reemplazado con "servicios") y/o para que existiera congruencia con la legislación actual. En el anexo se puede ver el texto original de los *Principios multiculturales*.

Este documento analiza cada Principio siguiendo un formato general que incluye lo siguiente:

- los **aspectos destacados** de los *Principios multiculturales* originales;

- un **análisis selectivo de la investigación** que puede incluir una o más "implicaciones clave";

- la sección titulada **Voces de la comunidad de Head Start** presenta uno o más ejemplos de políticas y/o prácticas reales de Head Start, Early Head Start, programas para indios estadounidenses y nativos de Alaska, o Head Start para familias migrantes y trabajadores de temporada; y

- una o más **Preguntas o actividades de reflexión** que los programas pueden considerar.

También podrá notar que algunas secciones de este documento son más extensas y detalladas que otras.

Cómo usar este documento

Recomendamos que los programas utilicen este documento de modo que sea pertinente a su propia comunidad local. Dadas las diferencias importantes que existen entre los programas a nivel local, no se provee una estrategia que sirva como "receta universal". Asimismo, es importante reconocer que los *Principios multiculturales* en sí son aplicables a todos los programas y a las opciones programáticas de Head Start.

Es importante resaltar que las secciones de las Voces de la comunidad de Head Start se incluyeron a fin de entregar algunos ejemplos específicos de sistemas, políticas y/o servicios de programas reales. Estos ejemplos en sí no representan todas las opciones que ofrece el programa ni todas las prácticas pertinentes.

Por último, cabe mencionar que cada persona puede vivir la experiencia de las conversaciones con respecto a cultura e idioma del hogar de muchas maneras distintas, que pueden ser desde divertidas o inspiradoras hasta amenazantes e incómodas. Como se señaló en de los *Principios multiculturales* originales:

> En muchas ocasiones, la implementación de estos principios requerirá de liderazgo, valor, cambio, toma de riesgos, capacitación y recursos (p. 23)

Este documento incluye un gran número de Preguntas y actividades de reflexión que se diseñaron a fin de darles la oportunidad a los programas para que "se arriesguen" a abordar el tema de cultura e idioma del hogar cada vez que comienzan a planificar los servicios del programa. Aunque no existe garantía de que toda conversación sobre cultura e idioma del hogar que sostengan los programas vaya a ser agradable, si se expone la información de una manera considerada y se facilita el tema de manera competente, esto puede ser una buena estrategia para lograr "persuadir" al personal.

Terminología y definiciones

> Cuando uno define cultura, no sorprende del todo hallar que las definiciones de cultura son tan variadas como el número de investigadores, en su mayoría antropólogos, que la definen (Leung, 1994).

Definir el término *cultura* constituye un reto. En 1952, un equipo de investigadores examinó la literatura e identificó un total de 160 definiciones distintas del término (Vermeersch, 1972). Desde entonces, el número de definiciones ha seguido aumentando. No es sorprendente que los empleados de Head Start que desean aprender más sobre cultura fácilmente se encuentren con muchas versiones distintas del término.

En la próxima página se ofrece un cuadro con diversas definiciones de cultura. La finalidad de proporcionar estas definiciones es poder invitar a los empleados de Head Start a que examinen y discutan las distintas definiciones del término, como un marco para discusiones futuras. En la sección de Preguntas y actividades de reflexión del Principio 1 se incluye una hoja de trabajo y de muestra para realizar actividades de pensamiento reflexivo; en el Anexo A se presentan las fuentes del texto que se cita en el gráfico.

Definiciones de cultura:

Cultura es...

El conjunto de prácticas organizadas y comunes de comunidades en particular.	Un instrumento que usan las personas cuando luchan por sobrevivir dentro de un grupo social.	El todo complejo que incluye los conocimientos, las creencias, el arte, la moral, las costumbres y otras aptitudes y hábitos adquiridos por el hombre como parte de la sociedad.
Una organización compartida de ideas que incluye las normas intelectuales, morales y estéticas que prevalecen en una comunidad y el significado de las acciones comunicativas.	Un marco que guía y ata las prácticas de la vida.	El entendimiento común, así como las costumbres y los artefactos del público que expresan este entendimiento.
Los procesos complejos de la interacción social y comunicación simbólica humanas.	Todo lo que hacen las personas.	Los patrones, explícitos e implícitos, de y para la conducta adquirida y transmitida por símbolos, que constituyen el logro característico de los grupos humanos, incluidas sus personificaciones en los artefactos.
Un conjunto de actividades a través de las cuales distintos grupos producen recuerdos, conocimientos, vínculos sociales y valores colectivos dentro de relaciones de poder históricamente controladas.	Las maneras y modales que usan las personas para ver, percibir, representar, interpretar y asignar un valor y significado a la realidad que viven o que experimentan.	No tanto la materia de un sistema inerte dentro del cual funcionan las personas, sino más bien una construcción histórica realizada por las personas, que se encuentra en constante cambio.

Nota: El Anexo A indica las fuentes del texto que se cita en este cuadro.

PRINCIPIO 1:

Cada persona está arraigada en la cultura.

Puntos destacados de los *Principios multiculturales* originales (1991)

- La cultura influye en las creencias y en las conductas de todas las personas.

- La cultura es algo que pasa de generación en generación.

- La cultura es dinámica y cambia de acuerdo con el ambiente contemporáneo.

- El idioma del hogar es un componente clave de la formación de la identidad en los niños.

- Los programas exitosos respetan e incorporan las culturas de los niños y las familias.

Análisis de la investigación

La cultura influye en cada aspecto del desarrollo humano y se ve reflejado en las creencias y en las prácticas de la crianza de los hijos (National Research Council and Institute of Medicine, 2000, p. 3).

La cultura se adquiere a través de las interacciones diarias repetidas que un niño tiene con las personas que lo rodean cuando crece. Los niños adquieren un conocimiento cultural a medida que desarrollan el lenguaje, los conceptos de aprendizaje y tienen la oportunidad de experimentar la manera de cómo reciben cuidados de parte de sus padres y de otros integrantes de la familia. Los niños también adquieren un conocimiento cultural de su comunidad y a través de las experiencias de Head Start.

La adquisición de la cultura comienza en el nacimiento y continúa durante la vida de la persona. Diariamente, los adultos toman decisiones y dan el ejemplo de conductas, como:

- Interactuar y comunicarse para poder establecer relaciones y "conectarse" con su bebé (Small, 1998).

- Responder a conductas específicas del niño, incluidas aquellas conductas que en esa cultura se consideran impropias (Rogoff y Mosier, 2003).

- Planificar, poner en práctica y evaluar los tipos de experiencias que tienen los niños (Tudge y Putnam, 1997).

La manera en que los adultos llevan a cabo estas actividades es un factor que está arraigado en su(s) cultura(s) y se ve influenciado por ésta(s). A medida que los niños se desarrollan y aprenden, están cada vez más expuestos a distintos tipos de información, desde información factual del mundo que los rodea, hasta reglas y expectativas sociales sobre su conducta. A los niños se les incentiva a que participen en ciertas conductas o las inicien y se les disuade de participar en otras. Por ejemplo, en algunas culturas, los padres motivan a sus niños de hasta 3 años a que se alimenten solos usando las manos; en cambio, en otras, los padres son quienes le dan de comer al niño. Las familias comunican sus expectativas de manera verbal y no verbal.

A medida que los niños van creciendo también comienzan a demostrar niveles cada vez más altos de conocimientos culturales. Para cuando los niños llegan a la edad de asistir a la escuela preescolar, ya tienen conocimientos culturales sobre las reglas que existen en su entorno. Algunas de estas reglas incluyen cómo usar objetos, qué conductas son (o no son) aceptables y cómo relacionarse con miembros mayores o menores de la familia.

La literatura en el campo de la investigación ha podido describir la influencia que tiene la actividad cultural en el desarrollo infantil desde muchas perspectivas distintas. A continuación se destaca una muestra de dichas perspectivas.

Rogoff (1990, 2003), Small (1998) y Cohen (1978) han descrito la actividad cultural en las sociedades humanas. Si bien sus descripciones han diferido en aspectos significativos, cada explicación corrobora el Principio 1, de que *cada persona está arraigada en la cultura*.

Rogoff (1990, 2003) describe las interacciones familiares y las rutinas diarias como la fuente de la información cultural de los niños. Cuando los niños nacen dentro de una familia, biológicamente ya están equipados para ser entusiastas observadores de sus propias familias. A medida que van creciendo participan más en las actividades de la familia. Sin lugar a dudas, los integrantes de la familia del bebé se han criado en una o más culturas y también han desarrollado sus propios conocimientos culturales.

A medida que el bebé se desarrolla, es cada vez más capaz de participar en las actividades familiares y de influir en otros miembros de la familia. Puesto que todas las actividades familiares tienen lugar o se "sitúan" dentro de la cultura (o culturas) de la familia, estas interacciones les ofrecen a los niños la posibilidad de ser "aprendices del pensamiento", es decir, ser parte de un largo proceso mediante el cual se conecta el desarrollo individual del niño con maneras culturalmente específicas de pensar, aprender y vivir.

Small (1998) describe el desarrollo de los niños como el resultado de la combinación de la biología y las influencias culturales. Por ejemplo, el idioma se basa en un factor biológico, en otras palabras, los seres humanos en todo el mundo nacen con la capacidad de adquirir un idioma. A la vez, nuestros ambientes culturales nos ofrecen uno o más idiomas y reglas específicas de comunicación.

Al parecer, todas las culturas generan conocimientos, reglas, valores, consejos y expectativas para criar a los niños. Sin embargo, los aspectos específicos de cómo criar a los hijos a menudo son distintos en todas las culturas. Por último, todas las culturas parecen tener la capacidad de generar narraciones, es decir, tienen una forma de reunir y relatar historias. Si bien el estilo de cómo se cuentan las historias varía según la cultura, el tener historias y contarlas parece ser algo universal.

Cohen (1978) presenta un análisis integral de cultura. Según esta exposición, la cultura es más que un simple aspecto de la vida humana; es decir, es algo que se puede contemplar a distintos niveles.

A *nivel universal*, todos los seres humanos son esencialmente iguales. Por ejemplo, todas las culturas utilizan sus idiomas para incluir información en sus relatos. Además, las personas en todas partes tienen sus propias maneras de expresar la ira, la tristeza o la felicidad, maneras de criar a los niños y de ganarse la vida.

A *nivel de grupo*, las conductas humanas se ven expresadas en patrones que se moldean desde la infancia. Por ejemplo, dentro del grupo cultural (o grupos culturales) en el que nos han criado, muchas de las expectativas de "cómo actuar" se transmiten de generación en generación.

Figura 1. La cultura vista en cuatro niveles.
Basada en el texto de Cohen, 1978.

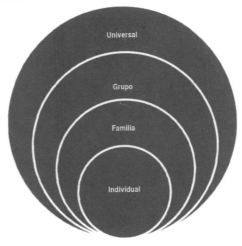

A *nivel de familia*, las familias individuales toman decisiones distintas sobre cómo vivir la vida. Por ejemplo, algunas personas pueden optar por vivir como sus padres, en cambio otros opten por hacer las cosas de una manera distinta.

Por último, la cultura puede analizarse a *nivel individual*. Por ejemplo, cada persona decide en qué medida desea transmitir y participar en las tradiciones, las creencias y los valores de su grupo y familia.

Una de las formas en que uno puede pensar en cultura a nivel individual es contemplando a sus hermanos. ¿Se parece usted más, o menos, a uno o varios de sus hermanos? Estas diferencias pueden existir aun cuando lo hayan criado en la misma familia, dentro de la misma comunidad y dentro del mismo grupo cultural. Por lo tanto, aunque la cultura constituye una influencia importante en el desarrollo, el tener conocimientos sobre el grupo cultural de una persona no necesariamente nos dice mucho acerca de esa persona *como individuo*. La Figura 1 ilustra los cuatro niveles distintos de cultura.

Implicaciones clave

Según lo hemos visto en la literatura analizada anteriormente, la cultura es algo real e importante, pero entenderla no es necesariamente algo sencillo o fácil. La comprensión de cultura, por lo tanto, requiere la capacidad de equilibrar y entender distintos factores, es decir, distintas piezas de información, simultáneamente.

Chavajay y Rogoff (1999) destacaron dos puntos importantes. En primer lugar, que la cultura no es una "cosa" sola, sino que puede entenderse a varios niveles. En segundo lugar, la cultura *"por sí sola"* no explica todo aquello que tiene que ver con las acciones o las conductas de una persona o de un grupo de personas. Por lo tanto, la cultura constituye uno de varios elementos importantes dentro del desarrollo del niño, pero no es el único. La cultura es una forma (o formas) de vida. En otras palabras, la cultura no es lo único que puede explicar el desarrollo humano. Como se mencionaba en los *Principios multiculturales* originales, la cultura es "dinámica y evoluciona y se adapta". Los seres humanos también son dinámicos, es decir, las personas cambian y se adaptan a las circunstancias de su vida.

Es primordialmente necesario que los Programas Head Start respeten e incorporen las culturas de las familias en los sistemas y servicios que brinden. La gerencia de los programas debe fomentar activamente el desarrollo de una identidad cultural e individual positiva para todos los niños. Además, puesto que los empleados del programa también forman parte de grupos culturales, los programas deben encontrar estrategias que permitan identificar e incluir los antecedentes culturales del personal del programa. A la vez, la gerencia también debe tomar en cuenta las *Normas de Desempeño del Programa Head Start*. La sección titulada Voces de la comunidad de Head Start y la

Actividad de reflexión, que se presentan a continuación, ofrecen sugerencias iniciales sobre cómo reunir y utilizar información cultural del personal del programa y de las familias matriculadas.

VOCES DE LA COMUNIDAD DE HEAD START

Un programa de Minnesota creó un equipo transcultural, a partir de un grupo diverso de empleados que reflejan la diversidad de su área de servicios. A continuación, los integrantes del equipo explican cómo se originó este trabajo:

> "A fines de los ochenta, distintos grupos de inmigrantes comenzaron a llegar a nuestra área de servicio. El primer grupo que llegó fue el grupo *hmong*, seguido de familias de Somalia y posteriormente, familias de muchas áreas distintas. Tuvimos que tomar una decisión de cómo íbamos a prestar servicios a esas familias. *Necesitábamos hacer más que simplemente traducir nuestros formularios. . .* Ahora, esta labor ha llegado a ser una parte integral de nuestro programa en relación a cómo brindamos servicios a la comunidad".

Con el tiempo, el trabajo del equipo transcultural ha repercutido positivamente en los servicios y sistemas del programa. El equipo comenzó con la formulación de una pregunta básica la que luego comenzaron a usar para organizar su labor continua destinada a entender las culturas de las familias a quienes prestan servicios: ¿Cómo podemos satisfacer las necesidades de todas las familias?

Al usar esta pregunta como una herramienta de organización, los miembros del equipo comenzaron a reunir información acerca de los valores culturales y las costumbres de las familias y del personal. Recopilaron sus conclusiones en distintos formatos. Posteriormente, el equipo usó la información para planificar actividades programáticas específicas a fin de satisfacer de mejor forma las necesidades de las familias y del personal. Los integrantes del equipo les ofrecieron las siguientes sugerencias a otros programas interesados en este tipo de trabajo: (1) Dense el tiempo para reflexionar acerca de la información que hayan recopilado; (2) trabajen con los socios de la comunidad que tengan experiencia laboral con las distintas culturas del área de servicio de Head Start; y (3) desarrollen su propio proceso a nivel local.

Con los años, el trabajo del equipo transcultural ha tenido gran repercusión en los servicios y sistemas del programa. A continuación se ilustran varios ejemplos al respecto:

1. *Creación de una línea telefónica gratuita de comunicación para los padres las 24 horas.* El programa ofrece un número 800 para la comunidad que está disponible en cuatro idiomas: inglés, español, *hmong* y somalí. La línea gratuita

ofrece información sobre las actividades diarias, información sobre el programa y próximos eventos, como también información sobre actividades de matriculación. La información se actualiza semanalmente.

2. *Organización de eventos y festivales internacionales.* Durante el año programático se planifican distintas actividades que incluyen a las familias. Estos eventos están organizados para informar a los padres de las actividades en el aula y ayudar a que el personal del programa y los padres aprendan sobre su herencia cultural mutua.

3. *Grabación de cintas con la voz de los padres.* A fin de proporcionarles a los niños modelos auténticos del idioma (o idiomas) del hogar, el programa graba cintas con la voz de los padres mientras hablan o leen en su idioma. Posteriormente se tocan las cintas en la clase durante las actividades de lectura individual y de grupo.

4. *Elaboración de una guía interlingüística de bolsillo.* Este proyecto comenzó como un medio para ayudar al personal a aprender a saludar a las familias en sus propios idiomas. Con el tiempo, el proyecto se amplió para convertirse en una guía de bolsillo, la que actualmente incluye muchas palabras y frases comúnmente usadas en los distintos idiomas de las familias matriculadas. La guía permite que el personal pueda decirle a los padres algunas palabras en su idioma con respecto a la matrícula o al transporte del programa y les permite hablar con los niños sobre diversos temas, incluidas las comidas y experiencias de aprendizaje en el aula.

Los integrantes del equipo también recalcaron que continúan desarrollando formas para educar a los padres de familia sobre el programa. Según uno de los integrantes del equipo: "Tenemos que ayudar a los padres a comprender por qué hacemos las cosas, por qué leemos todos los días, por qué usamos rimas y actividades de juego libre, y por qué dejamos que los niños usen plastilina". Un integrante del equipo ofreció su percepción del proceso:

Idea final

Nunca podemos aprender *todo lo que existe* con respecto a todas las culturas, pero podemos demostrar el interés y la disposición de aprender unos de otros.

—Integrante del equipo transcultural, Minnesota

Preguntas y actividades de reflexión

Esta sección presenta cuatro sugerencias para trabajar en torno al pensamiento reflexivo:
(1) llevando a cabo una actividad en la cual el personal del programa explore sus propios
orígenes culturales (por ejemplo, durante el período de capacitación preliminar al servicio
o durante el servicio); (2) llevando a cabo una actividad con el personal del programa para
que desarrolle una comprensión de las culturas de los padres y de los miembros de la
familia; (3) una actividad para el personal del programa que identifique lo que significa
la cultura para ellos; (4) una actividad para la consideración del personal del programa,
usando una gráfica para pensar sobre la cultura y su trabajo. Estas actividades deben
considerarse únicamente como un punto de partida para la discusión del tema y su
análisis posterior y no representan un método integral para el tema en cuestión.

Reflexiones para el personal del programa: La cultura en mi vida

1. ¿Qué cosas recuerda usted sobre cómo lo criaron? ¿Cómo podrían influir sus
   orígenes personales o la educación familiar que recibió en su manera de pensar
   sobre el desarrollo de los niños?

2. ¿Qué habilidades y conductas valoran los padres del programa en sus propios
   hijos? ¿Cómo podrían influir sus orígenes u otras experiencias personales en
   su manera de pensar?

3. ¿En qué situaciones chocan sus propios valores y creencia sobre los niños con los
   de las familias matriculadas en el programa? ¿Cómo puede conversar o trabajar
   con las familias en torno a estas diferencias en valores y creencias,
   a fin de favorecer a los niños?

4. ¿Qué experiencias, valores y/o creencias propias de las familias podrían
   desempeñar un papel importante cuando usted está comenzando a forjar
   relaciones con ellos?

5. ¿Qué ideas o creencias tienen las familias con respecto a la "cultura" de los
   sistemas de entrega de servicios con los cuales están familiarizados? Por ejemplo,
   ¿qué dicen los padres de familia sobre las experiencias que han tenido con los
   sistemas de educación, cuidado de la salud y otras áreas de servicio?

Reflexiones para el personal del programa: La cultura en la vida de las familias

1. ¿Qué grupos culturales viven dentro del área de servicio de su programa? ¿Qué cosas sabe con respecto al estilo de vida, los antecedentes de su inmigración, creencias sobre la salud, estilo de comunicación, etc. de cada uno de esos grupos culturales? ¿Qué cosas sabe con respecto a las distintas ideas que tienen las familias para criar a sus hijos dentro de estos grupos culturales? ¿Cómo adquirió esta información?

2. ¿Qué habilidades y conductas valoran los padres del programa en sus hijos? ¿Cómo podrían influir los orígenes personales u otras experiencias de los padres en su propio modo de pensar?

3. ¿Con qué sistemas o estrategias cuenta actualmente su programa como medio para obtener información adicional sobre los grupos culturales en su área de servicio? ¿Qué otras cosas se podrían hacer para aprender más sobre los grupos culturales dentro de esa área de servicio?

4. ¿De qué modo reflejan los sistemas y servicios que se ofrecen en su programa la información sobre los grupos culturales de su área de servicio? ¿Han cambiado recientemente los datos demográficos de dicha área?

Actividad de pensamiento reflexivo:

Analice las distintas definiciones que se presentan en el cuadro de definiciones de cultura ubicado en la página 9: ¿De qué modo son similares o distintas? ¿Hay otro tipo de información que considere importante y que *no* se ha incluido en ninguna de las definiciones anteriores? ¿Cuál es su propia definición de *cultura*?

Cultura es...

1. Para mí, la cultura es _____

_____

_____

2. Los motivos de por qué escogí esta definición son:_____

Cultura: ¿Qué es?

1. ¿Cómo podría usar este gráfico para recordar y reflexionar sobre sus propias experiencias culturales de cuando era niño?

2. ¿Cómo podría utilizar este gráfico para aprender de (o dialogar con) las familias de su programa?

3. ¿Cómo podría adaptar o modificar el gráfico para que refleje con mayor exactitud su propia opinión de cultura?

Figura 2. Conexiones a la cultura.

PRINCIPIO 2:

Los grupos culturales que están representados en las comunidades y en las familias de cada programa Head Start constituyen las fuentes principales de información para efectuar una programación pertinente desde el punto de vista cultural.

Puntos destacados de los *Principios multiculturales* originales (1991)

- Las familias y los grupos de la comunidad pueden proporcionar información correcta.

- Los sistemas y servicios del programa que son culturalmente pertinentes mejoran el aprendizaje de los niños.

- Los programas deben tomar en cuenta los asuntos que sean pertinentes para todos los grupos culturales dentro de su área de servicio.

Análisis de la investigación

Cultura es el contexto dentro del cual se desarrollan los niños. También es el contexto dentro del cual los padres crían a sus hijos. Los padres utilizan sus conocimientos sobre el desarrollo y cuidado de los niños, que aprendieron a partir de experiencias personales y en sus comunidades culturales, para tomar decisiones sobre cómo cuidar a sus hijos (Rogoff, 2003).

Un área en la cual el efecto de cultura tiene gran valor y en la cual la programación culturalmente pertinente adquiere principal importancia, es el de la salud. Las decisiones sobre dormir con los niños, la higiene o el cuidado personal, en qué situaciones buscar ayuda médica, el tipo de alimentos que comen los niños y cómo se prepara y se sirve la comida, los patrones de alimentación, las causas de las enfermedades, el uso de *Medicaid* y el uso de remedios caseros y populares son todos aspectos que se ven afectados por la cultura y los proveedores de servicios deben entenderlos, a fin de poder brindar cuidados y apoyo eficientes a las familias (Lipson y Dibble, 2005).

La cultura está estrechamente ligada a cómo se desarrollan y aprenden los niños. Los niños que están matriculados en Head Start reciben información cultural de parte de sus padres y de sus maestros, visitantes domiciliarios y otros empleados de Head Start, como también de otros participantes de la comunidad. Cuando los programas para niños pequeños no toman en consideración los aspectos culturales, pierden información importante con respecto a la base sobre la cual se fundamenta el desarrollo de un niño. El personal del programa que estudia y reflexiona acerca de la relevancia cultural estará más preparado y será más capaz de apoyar eficazmente el aprendizaje y desarrollo continuo de los niños.

Implicaciones clave

Los programas que acogen la idea de aprender *de* las familias brindan el apoyo más eficaz para el desarrollo de los niños. Pueden integrar los ambientes del aula, los materiales, las actividades y otras prácticas o servicios del programa, con los conocimientos y la experiencia del niño. Esta "concordancia" se transforma en una base a partir de la cual un niño puede adquirir el conocimiento de una segunda cultura. La implicación más importante de dicho apoyo es la necesidad de que los programas Head Start aprendan sobre los niños y las familias matriculadas en sus programas de parte de las familias mismas. Solo entonces los programas podrán forjar alianzas y asociaciones significativas con los padres, sobre las cuales todos puedan trabajar mancomunadamente, para garantizar que los niños obtengan un beneficio óptimo a partir de su experiencia en Head Start.

VOCES DE LA COMUNIDAD DE HEAD START

Temas para iniciar una conversación

Un programa de Early Head Start de Virginia ha desarrollado un proceso a través del cual los empleados pueden aprender de las familias y que permite conectar las metas a largo plazo del programa con prácticas específicas, que tienen como objetivo lograr metas para interactuar con las familias. Las metas a largo plazo del programa incluyen las siguientes:

- Entender las culturas de todas las familias matriculadas en el programa;

- hacer que todas las familias se sientan bienvenidas en el aula; e

- integrar a todas las culturas de las familias con niños en el aula.

Para lograr éstas y otras metas, el programa ha desarrollado como práctica una estrategia en particular que ha denominado "Temas para iniciar una conversación". A través de esta estrategia, los maestros buscan formas específicas y coherentes de acercarse a los padres de familia cuando matriculan a sus niños en el programa. La práctica "Temas para iniciar una conversación" tiene como objetivo iniciar una relación a largo plazo con la familia. Los maestros les preguntan a los padres qué palabras usan y cómo las usan para consolar al niño cuando está disgustado... así como maneras en que lo alientan. Esto permite que el maestro o la maestra entienda un aspecto importante de las prácticas de los padres con el niño y, por consiguiente, sepa cómo cuidan al niño en el hogar. Además, esto permite que el maestro aprenda, y luego use, una o más palabras conocidas en el idioma del hogar del niño.

A medida que el maestro sigue en contacto con el padre o la madre del niño, tiene la oportunidad de contarles situaciones en las que consoló o animó al pequeño en el salón de clases. Esto proporciona una continuidad de comunicación entre el maestro y los padres y abre la puerta a que exista un potencial de comunicación más significativa en un futuro.

Preguntas y actividades de reflexión

1. ¿Cómo podría incorporar "Temas para iniciar una conversación" en su programa? ¿Comenzaría por preguntarle a los padres sobre cómo reconfortan al niño en su propio idioma o haría otra pregunta?

2. ¿Cómo podría usar "Temas para iniciar una conversación" en su programa con los padres angloparlantes? ¿Cómo podría ir más allá de la(s) pregunta(s) inicial(es) que formuló al principio del año programático para poder establecer una relación más profunda con los padres del niño?

3. ¿Cómo podría ampliar el uso de "Temas para iniciar una conversación" en su programa? Por ejemplo, ¿cómo podrían usar los distintos empleados (p.ej., maestros, visitantes domiciliarios, personal de servicios a la familia o administradores) dicha práctica como estrategia complementaria? ¿Cómo puede trabajar en conjunto el personal para intercambiar información que va recibiendo de las familias?

4. ¿Cómo pueden usarse los "Temas para iniciar una conversación" en el proceso de acuerdos de asociación con la familia?

5. ¿Qué estrategia se usa para invitar a las familias a compartir aspectos de su(s) cultura(s) con otros padres de familia y niños en el salón de clases, durante la hora de socialización, durante otras actividades del programa?

6. ¿Qué puede hacer para que la vida del hogar de cada familia se vea representada en el aula o en las oportunidades de socialización, de modo que todas las familias se sientan bienvenidas y valoradas?

PRINCIPIO 3:

La programación culturalmente pertinente y diversa requiere el conocimiento de información correcta sobre las culturas de los distintos grupos y la eliminación de los estereotipos.

Puntos destacados de los *Principios multiculturales* originales (1991)

- Los estereotipos y la desinformación interfieren con la eficacia de los servicios del programa Head Start.

- Todos los empleados del programa tienen la responsabilidad individual de adquirir información correcta sobre los grupos culturales de su comunidad.

Análisis de la investigación

La cultura es un factor importante en el desarrollo infantil. No obstante, entender lo que es cultura es un proceso que presenta muchos retos. Puesto que adquirimos nuestra propia cultura desde el momento en que nacimos, muy pocas veces nos vemos enfrentados al desafío de *pensar directamente en nuestra propia cultura* cuando nos ocupamos de nuestra vida diaria. Además, cuando nos ponemos a pensar en nuestra propia cultura, nos vemos enfrentados a una realidad dinámica y compleja.

Como hemos visto, existen muchas formas distintas de definir o describir lo que es cultura o simplemente para conversar sobre ésta. Sin embargo, estas definiciones cuentan con algunas características en común que nos pueden ayudar a elaborar un marco para entender los distintos papeles que desempeña la cultura en el ámbito del desarrollo infantil. Entre estas características se encuentran las siguientes:

- La *capacidad* de cultura es innata o biológica. No obstante, el *conocimiento* cultural no lo es. El conocimiento cultural se adquiere a través de procesos múltiples que comienzan al momento de nacer (Rogoff, 1990; Valsiner, 1997).

- La cultura implica un significado o entendimiento común, incluidos los valores y creencias, dentro de un grupo (Rogoff, 2003).

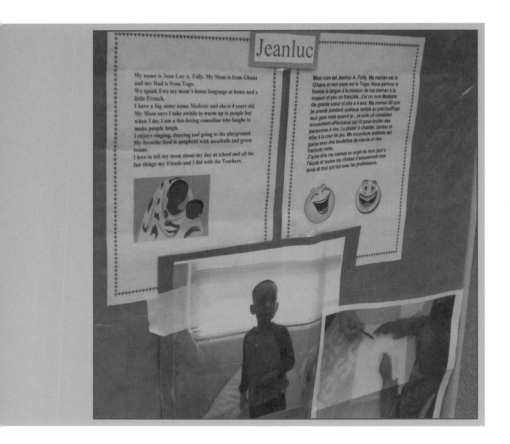

- La cultura es dinámica y *volitiva* (Ovando y Collier, 1998); es decir, evoluciona y cambia con el tiempo a medida que las personas *toman decisiones* en el curso de su vida diaria, incluyendo si (y hasta qué grado) participarán en el significado, los valores y las conductas comunes de su grupo.

Aprendizaje de información correcta

Obtener la información correcta acerca de culturas que sean distintas a la de uno requiere persistencia, dedicación, franqueza y honestidad. Explorar los valores, las creencias y tradiciones propios y aprender de qué manera le afectan a uno y cómo uno se desenvuelve en el mundo, son pasos preliminares que es necesario dar antes de entender a otras personas. Al dar estos pasos, uno también adquiere una mayor conciencia de sus propios estereotipos, suposiciones y prejuicios (Sue, 1998). Por cierto, existen muchas formas para lograr un nivel más elevado de conciencia de sí mismo y poder reflexionar sobre las experiencias personales y sobre el lente o visión cultural que uno tiene del mundo.

Adquisición de conocimientos

Es esencial lograr un nivel cada vez mayor de conocimiento cultural. Las familias constituyen ricas fuentes de información para aprender sobre su cultura. Es importante participar en diálogos significativos con las familias. Algunas de las habilidades clave que son importantes tener son la capacidad de escuchar a personas que son culturalmente distintas a nosotros, aprender activamente acerca de sus experiencias y respetar las diferencias sin juzgar. (Derman-Sparks, 1995b).

Existen muchas estrategias para aprender sobre distintos grupos de personas. Una de ellas puede ser a través de la lectura de datos acerca de un grupo cultural (Phillips, 1995), y otra, averiguar y aprender sobre las diversas costumbres que tienen las familias en el hogar (Gonzalez-Mena, 1995). Igualmente importante es la búsqueda de experiencias de capacitación que sean educativas y multiculturales (Derman-Sparks, 1995). Además, es esencial aprender cómo la cultura puede integrarse al currículo y al ambiente del salón de clases (Derman-Sparks, 1995).

Eliminación de estereotipos

Los estereotipos son imágenes distorsionadas de la realidad que, en términos generales, catalogan a un grupo por ser de cierta forma. Los estereotipos influyen en nuestra percepción, evaluación, nuestro juicio y recuerdo con respecto a personas y acontecimientos. Las personas tienden a aprender estereotipos de personas que las rodean, como compañeros y familia o bien a través de los medios de comunicación y de entretenimiento. Los estereotipos negativos por lo general se refuerzan de maneras similares.

Superar los estereotipos y trabajar para eliminar los prejuicios son procesos continuos. Es esencial obtener la información correcta sobre los distintos grupos de personas (por ejemplo, la raza, la religión y el género) a través de diversos medios (por ejemplo, asistiendo a eventos culturales). Es importante recordar que ser distinto no necesariamente significa ser anormal o deficiente. Para contrarrestar los estereotipos negativos, busque ejemplos positivos que compensen o refuten la clasificación negativa. Esto requiere tiempo, actitud abierta y sensibilidad.

Cuando se estereotipa, se hacen suposiciones acerca de una persona basadas en su pertenencia a un grupo sin enterarse de si la persona encaja dentro de esas suposiciones. Para evitar estereotipos negativos en el ambiente de Head Start, debemos reflexionar con respecto a nuestras propias creencias sobre todos los aspectos de la crianza de los niños y la educación en la primera infancia. Debemos reconocer aquellas ideas, creencias y prejuicios propios sobre grupos específicos de personas que pudieran ser comunicados, aunque no intencionadamente, a los niños y a las familias.

Servicios para niños con discapacidades en ambientes multiculturales

Los servicios para niños con discapacidades son una parte integral de todos los programas Head Start. Por supuesto, estos servicios también se ven influenciados por la cultura y el idioma. Según Harry y Kalyanpur (1994), el reto principal que tienen los empleados del programa es reconocer que los servicios para niños con discapacidades están basados en supuestos culturales. Estos supuestos, a su vez, influyen en la implementación de los servicios de maneras importantes.

Por ejemplo, las culturas pueden diferir en cuanto a cómo definen una discapacidad; es decir, las condiciones o conductas que en una cultura se ven como una discapacidad, puede que no se interpreten de la misma forma por personas de otra cultura. La cultura puede influir en los siguientes aspectos:

- La forma en que responden los padres cuando se les informa que su niño tiene una discapacidad;

- la manera en que pueden adaptar los padres su estilo de crianza en relación a la discapacidad del niño y en cuanto a las metas que se han propuesto para sus hijos; y

- la manera en que se comunican los padres de familia con el personal del programa y con otros profesionales que participan en la prestación de servicios para niños con discapacidades.

Claramente, los supuestos culturales y la forma en que estos afectan las relaciones y la comunicación influyen en la identificación y el diagnóstico de una discapacidad y la prestación de los servicios pertinentes a los niños y a sus familias. No sorprende que estos supuestos puedan llegar a convertirse en fuentes de malentendidos y fricción entre el personal del programa y las familias. Por consiguiente, Harry y Kalyanpur (1994) recomiendan que los programas deben comenzar por desarrollar una "conciencia aguda" con respecto a esta posibilidad (p. 161).

Por ejemplo, el personal del programa puede evitar hacer suposiciones sobre las conductas de los padres de familia. El silencio de los padres cuando se les informa que a su hijo se le ha diagnosticado una discapacidad puede significar algo distinto de lo que el empleado del programa pueda interpretar. A la vez, la indecisión de los padres de querer firmar formularios de autorización para realizar una evaluación más exhaustiva con respecto a una posible discapacidad también puede ser algo que se malinterpreta. Los autores recomiendan que el personal analice sus propios supuestos culturales y que activamente busque información de parte de las familias en diferentes ocasiones durante la entrega de servicios, incluyendo la interpretación que pueda tener la familia sobre la discapacidad y los valores familiares subyacentes a sus preferencias y prácticas. En este caso, la meta consiste en realizar dos cosas: primero, ir más allá de las suposiciones a fin de desarrollar una forma de comunicación transcultural con las familias que sea productiva; y segundo, abordar el desafío de "aprender a colaborar dentro de los parámetros de distintos marcos culturales" (Harry y Kalyanpur, 1995, p. 161). El proceso no es algo sencillo ni fácil de llevar a la práctica. No obstante, es esencial que los programas se comprometan a desarrollar este método si desean proporcionar servicios que no estén siempre encasillados en un marco cultural específico.

Implicaciones clave

Esta información arroja dos implicaciones importantes. En primer lugar, la cultura no es un factor *absoluto* en el desarrollo del niño. En otras palabras, no es el único factor que nos ayuda a comprender cómo se desarrollan los niños. Otros factores, entre ellos, las capacidades biológicas de los niños, su temperamento y preferencias individuales, también representan una gran influencia en la manera de cómo se desarrollan los pequeños. Si bien la cultura tiene un efecto innegable en la conducta humana, es a fin de cuentas una de las tantas influencias que actúan sobre el desarrollo humano.

En segundo lugar, el desarrollo del niño se ve afectado por lo que los padres *eligen*. Aunque todos los padres se crían dentro de una o más culturas, la cultura se modifica a medida que los padres hacen elecciones individuales y específicas sobre cómo criar a sus hijos. Por ejemplo, es posible que algunos padres críen a sus hijos dentro de una tradición religiosa específica, en cambio otros no. Algunos padres pueden insistir en que sus niños hagan uso de los modales y las habilidades sociales de su cultura tradicional, pero es posible que otros incentiven a sus hijos a adoptar las habilidades sociales de la sociedad establecida en la que viven.

VOCES DE LA COMUNIDAD DE HEAD START

Un concesionario de Texas que proporcionaba servicios principalmente a familias hispanas encontró a un número concentrado de familias *hmong* que comenzaron a matricularse en su programa Head Start. Algunas de las familias administraban pequeñas empresas y negocios y otras trabajaban en diversos trabajos agrícolas. Se sabía que una familia en particular había matriculado por lo menos a un niño cada año en el programa Head Start. En la familia había doce niños, en su mayoría varones. Ese año en particular, la familia matriculó a dos hermanos, uno de tres años y el otro de tres años y nueve meses. Las maestras comenzaron a solicitar ayuda del director tan pronto supieron que matricularían a otros niños de esa familia, puesto que habían trabajado con sus hermanos en años anteriores. Los niños eran sumamente activos y bulliciosos al jugar y con frecuencia se exponían y exponían a otros niños a peligros cuando trepaban y saltaban entre los muebles del salón de clases. Cuando las maestras intentaban intervenir durante esos momentos de juego poco convencionales, los niños no se inmutaban en absoluto. Las maestras, frustradas, plantearon la interrogante de que tal vez los niños tenían déficits de desarrollo cognitivo demostrados por su incapacidad para seguir instrucciones.

En numerosas ocasiones, el personal intentó abordar sus inquietudes con la madre quien respondió de manera agradable pero silenciosa. Desafortunadamente, su reacción se interpretó como una falta de entendimiento o simplemente como una barrera del idioma, o en el mejor de los casos, como la conducta de una madre que se sentía abrumada por una familia fuera de control. El programa le ofreció efectuar visitas domiciliarias, pero la falta de receptividad de la madre se percibió como una negativa a dicha sugerencia. El personal estaba totalmente agotado de trabajar con la familia y decidió resignarse al clima ya existente en el salón de clases.

Posteriormente ocurrió que un especialista clínico con conocimientos de la cultura *hmong* sostuvo una reunión con el Equipo para el Estudio del Niño con respecto a uno de los niños de esa familia. El niño presentaba un déficit serio en el habla expresiva. El especialista clínico podía ver y sentir la frustración del personal cuando le explicaban los resultados obtenidos de los exámenes sistemáticos del niño. Luego de una discusión facilitada por el especialista clínico, se determinó que los valores culturales específicos de la familia contribuían al reto que estaban experimentando las maestras. A partir de esa reunión con la madre, a la cual asistió como única representante de la familia, se determinó que en su hogar y dentro de la cultura hmong, se da un alto valor al juego infantil energético y vigoroso. A un niño feliz se le percibe como una extensión directa de su padre o madre. Esto explicaba la conducta que anteriormente habían exhibido los hermanos mayores cuando estaban matriculados en Head Start. Cuando a los 3 años de edad estos niños *hmong* pasaron por un largo período de adaptación entre el hogar y la escuela el personal, instantáneamente comprendió lo que sucedía. Además, la conducta de los niños decayó por debajo de las expectativas apropiadas a la edad de otros niños preescolares con quienes el personal había trabajado anteriormente.

Durante la reunión, hubo una discusión sobre la cultura de la familia que evolucionó al punto en que la madre expresó su gratitud al programa Head Start por los últimos años. Así se abrieron las vías de comunicación y los informes diarios de progreso, y la madre comenzó a participar en el salón de clases y apoyó la transición de sus hijos a Head Start. Sus habilidades lingüísticas en inglés fueron algo que sorprendió al personal. La voluntad del personal de aprender sobre otras culturas, a su vez, ayudó a la madre a apreciar más la perspectiva de la maestra con respecto a la importancia de las rutinas y las transiciones. Esto brindó una experiencia de aprendizaje multicultural para el personal que había trabajado en ese programa de Head Start por muchos años.

Preguntas y actividades de reflexión

1. ¿Requiere el proceso de autoevaluación del programa que usted examine y reflexione acerca de su trabajo en lo que respecta a adquirir información cultural correcta y eliminar los estereotipos?

2. ¿Qué oportunidades tienen todos los empleados del programa para reflexionar sobre sus propias experiencias y creencias, incluyendo aquellos supuestos y creencias que sean estereotípicos y que puedan influir en el trabajo que realizan con los niños y las familias?

3. ¿Qué oportunidades tiene todo el personal del programa para adquirir la información correcta con respecto a las familias y a las comunidades dentro de su área de servicio?

4. ¿Valora su programa la información cultural que, además de incluir los idiomas que se hablan en los hogares, incluye antecedentes sobre las prácticas de crianza de niños, tradiciones en torno a las comidas, los orígenes de la familia e información sobre sus características educativas y socioeconómicas?

PRINCIPIO 4:

Abordar la relevancia cultural al momento de tomar decisiones y hacer adaptaciones en relación al currículo constituye una práctica necesaria y apropiada al desarrollo del niño.

Puntos destacados de los *Principios multiculturales* originales (1991)

- El aprendizaje de los niños se ve intensificado cuando se respeta su cultura y ésta se ve reflejada en todos los aspectos del programa.

- Los programas deben acomodar los distintos estilos de aprendizaje de los niños.

- Los niños se benefician al tener experiencias de aprendizaje activas y prácticas que incluyan oportunidades frecuentes para hacer elecciones.

Análisis de la investigación

Puesto que la cultura es un contexto importante dentro del cual se desarrollan los niños, las decisiones que se tomen relativas al currículo naturalmente deben tomar en consideración la información de la cultura y del idioma del hogar. Esta sección se centrará en la intersección de tres aspectos importantes de las influencias culturales sobre el desarrollo infantil: 1) cómo crían los padres a sus hijos, 2) cómo enseñan los maestros, y 3) cómo aprenden los niños.

Las culturas ejercen una influencia importante en las *metas* que los adultos se han propuesto para un niño. Así, en algunas culturas, los padres desean ver que sus hijos aprenden a caminar independientemente tan pronto sea posible. Tal vez haya observado a algunos padres cuando sostienen a los niños de ambas manos mientras dan pasos tentativos en la acera o en un sendero. Es común ver los salones de bebés o de niños hasta los tres años equipados con objetos que permiten motivar a los niños a gatear y a empujarse solos hasta ponerse de pie; o es común ver a los maestros (o padres) extendiendo los brazos para incentivar a que el niño dé unos pocos pasos hacia ellos. Ayudar a los bebés a caminar a una temprana edad parece ser una meta que casi todos tienen en la cultura norteamericana. No obstante, no todas las culturas comparten la perspectiva de que el niño comience a caminar a una temprana edad.

Valsiner (1997) señaló que entre los miembros del pueblo tuvano de Siberia central, el que los niños comiencen a caminar tardíamente significa que tendrán una larga vida. En esa cultura, la "tardanza" en aprender a caminar se considera algo beneficioso; por lo tanto, los adultos no facilitan el aprendizaje de esta habilidad en los niños. Este ejemplo ilustra que lo que parece ser algo "familiar" en un ambiente cultural determinado, no es algo a lo que necesariamente se dé prioridad o se valore en otra cultura.

Gonzalez-Mena (2001, 2008) describió las distintas maneras en las que una cultura puede influir sobre cómo los adultos, ya sea padres o maestros, se relacionan con los niños. Debido a que los adultos tienen metas para sus hijos pequeños, esto los hace asumir una variedad de *roles* para apoyar el desarrollo de los niños, usando estrategias que son congruentes con esas metas. Esta relación entre metas y roles puede observarse en numerosas actividades, interacciones y opciones curriculares que se dan a diario. Por ejemplo, la cultura puede moldear cómo realizan los adultos lo siguiente:

- Llevar a cabo rutinas del cuidado infantil básico, como hacer dormir, higiene y alimentación;

- proporcionar estímulos para su bebé o su niño de hasta 3 años;

- comprender, interpretar y captar los juegos de los niños;

- iniciar la comunicación con los niños y responder a ellos, incluyendo conductas no verbales y habla;

- evaluar y abordar los distintos tipos de conflictos (por ejemplo, entre niño y niño, entre niño y adulto); y

- socializar, guiar y disciplinar al niño (Gonzalez-Mena, 2008).

Cuando hay choques entre los padres y el programa

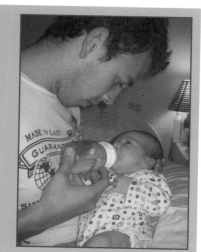

En Head Start del siglo XXI, es típico que el personal del programa y las familias matriculadas provengan de distintos medios culturales.

Las diferencias culturales pueden conducir a conflictos en distintas situaciones. Por ejemplo, puede que dos maestros de Head Start no estén de acuerdo con ciertas prácticas de cómo cuidar a un bebé, cómo responder a su llanto o cómo alimentarlo. Los empleados que hacen visitas domiciliarias pueden contradecirse con respecto a cómo y cuándo intervenir en los casos en que existen discusiones o peleas familiares. El personal y los padres de los programas de Head Start para familias de indios estadounidenses y nativos de Alaska o de Head Start para familias migrantes y trabajadores de temporada pueden diferir en el grado en el que los programas deberían apoyar el idioma del hogar o nativo de los niños. Debido a la amplia gama de ideas culturales que pueden existir, no es sorprendente ver que los adultos tengan diferencias tan firmemente arraigadas en ellos.

Como se mencionó anteriormente, es posible que existan desacuerdos entre los adultos en lo que respecta a prácticas, es decir, la manera en que se cuida a los niños o se trabaja con ellos. Gonzalez-Mena (1992, 2001, 2008) señala que estos desacuerdos pueden ser de índole *cultural* o *individual*. En el primer caso, los adultos que provienen de distintos ámbitos culturales tal vez descubran que la manera en la que están familiarizados para trabajar con los niños es distinta. En el segundo caso, los adultos dentro de la misma cultura pueden no estar de acuerdo. Cuando ocurren situaciones de conflicto entre los empleados del programa y los padres de familia (sean de naturaleza cultural o individual), Gonzalez-Mena identifica cuatro resultados posibles:

1. Todas las partes logran entender, negociar y/o llegar a un acuerdo, llegando a la resolución del conflicto en cuestión.

2. El personal del programa entiende la(s) perspectiva(s) de los padres y cambia sus prácticas habituales.

3. Los padres adoptan la perspectiva del personal del programa y cambian sus prácticas habituales.

4. No se llega a una resolución (en este caso, el conflicto puede continuar o intensificarse, o bien, ambas partes pueden sobrellevar las diferencias).

Por supuesto, los conflictos pueden ocurrir en torno a numerosos asuntos. Para ayudar al personal del programa a progresar, Gonzalez-Mena plantea el reto de que éste se cuestione sus propias suposiciones en torno a las prácticas de desarrollo infantil (por ejemplo, "mi manera de pensar sobre el asunto "X" no es la única manera de pensar. Mi manera de realizar una estrategia "Y" no es la única forma en la que se puede trabajar con el niño"). Una vez que uno decide comprometerse a poner a prueba sus propias suposiciones, dos metas que se pueden fijar en caso de una situación conflictiva son: 1) reducir al mínimo (o eliminar) las diferencias extremas que puedan existir en las prácticas habituales; y 2) resolver la situación a fin de beneficiar al niño. Es preciso incentivar a los empleados del programa a que cada vez que exista alguna situación de conflicto en torno a prácticas, piensen en el niño como punto central y cuestionen lo siguiente:

1. ¿Cómo ve la familia una práctica determinada?

2. ¿Cómo ve cada empleado del programa una práctica determinada?

3. ¿Cómo responde el niño a esa práctica específica?

El punto es comenzar y continuar un diálogo con las familias e intercambiar información, teniendo como meta la solución del conflicto para beneficio del niño. En definitiva, "lo esencial" radica realmente en pensar: ¿Qué es lo que beneficia directamente al niño? Para obtener una dirección más clara y específica sobre cómo poner en práctica estas estrategias, se anima a los lectores a que estudien el trabajo de Janet Gonzalez-Mena a quien se cita en la sección de referencias de este documento.

Implicaciones clave

Las culturas moldean las metas o resultados deseados que se valoran dentro de una sociedad en particular. Los padres de familia y los maestros pueden tener distintas metas que se convierten en diferencias reales y prácticas cuando los padres y las familias se esfuerzan por criar a sus hijos dentro de un conjunto determinado de ideas. Las metas que tienen los adultos para los niños se ven reflejadas en la infinita cantidad de maneras en que estos apoyan el desarrollo de los pequeños.

El personal del programa puede hacer que las experiencias de aprendizaje que el niño tiene en el aula puedan concordar más fácilmente con las que tiene en su hogar, siempre y cuando los empleados se propongan aprender más acerca de las metas que los padres han trazado para sus hijos y averiguar el tipo de conductas o prácticas que tienen prioridad para ellos y cómo las implementan cuando crían a sus hijos. Por ejemplo, si a una maestra le preocupa que un niño de tres años en su salón de clases no tenga habilidad para usar el tenedor, primero debería averiguar si esto constituye una meta para la familia. Tal vez en casa comen usando la cuchara. Tal vez usan palillos para comer. Tal vez los padres le dan de comer al niño. Sea el caso que fuera, es mejor verificar cuáles son las prácticas y metas de la familia antes de que la maestra comience a individualizar para que el niño pueda aprender a comer con un tenedor.

Una forma en que se pueden tomar decisiones sobre el currículo que sean apropiadas al desarrollo del niño es aprendiendo acerca de la vida, las creencias y los intereses de los niños y de sus familias. Posteriormente, esta información se puede utilizar para definir la gama de servicios que el programa le brindará al niño. En la próxima sección se describe cómo se pueden recopilar los "conocimientos preliminares" de los niños, y la manera en que se pueden utilizar dichos conocimientos para respaldar el desarrollo lingüístico en su primer o segundo idioma.

Conocimientos preliminares del niño

Como se mencionó anteriormente, los niños adquieren su conocimiento cultural desde el momento de nacer. En otras palabras, los niños ingresan al programa Early Head Start y a Head Start con un entendimiento de cosas ya adquirido como resultado de las interacciones y experiencias que han tenido con su familia y con miembros de la comunidad. El término *conocimientos preliminares* se refiere a la información real y social específica que puedan tener los niños a una edad cualquiera.

A cualquier edad, los niños adquieren no sólo el conocimiento cultural y las habilidades lingüísticas, sino que también logran un conocimiento conceptual de las cosas. Entre los ejemplos de conocimiento conceptual se encuentran los siguientes:

- Comprensión con respecto al uso de los objetos (por ejemplo, un mapa se usa para encontrar puntos y lugares);

- cantidad (cuántos objetos hay en un grupo);

- indicaciones (por ejemplo, hacia arriba, hacia abajo o hacia el norte, hacia el sur); y

- propiedades de los objetos (por ejemplo, un corcho puede flotar en el agua, pero una llave no).

La percepción de estos elementos representa una fuente adicional de información para propósitos de la planificación e implementación de experiencias diarias de aprendizaje dentro del aula.

Los conocimientos preliminares desempeñan un papel clave para los niños en la adquisición de un segundo idioma. Los objetos y conceptos conocidos, los cuales el niño ha adquirido en el idioma del hogar a través de miembros de su familia y de su comunidad, cuando se usan en el ambiente donde se habla un segundo idioma, pueden facilitar el aprendizaje, ya que el niño se puede concentrar en el nuevo vocabulario correspondiente. Los conocimientos preliminares "ayudan a determinar el grado de dificultad cognitiva que tiene un tema" y puede considerarse contexto para la adquisición de un segundo idioma (Freeman y Freeman, 1992, p. 28). Los conocimientos preliminares que tiene un niño también pueden incluir experiencias significativas personales y específicas, tales como viajes, observaciones de las rutinas familiares o conocimiento acerca del empleo de los padres. En el Principio 6 se explora con más detalle esta discusión dentro del contexto del aprendizaje de un idioma.

Implicaciones clave

El papel que desempeñan los conocimientos preliminares en el aprendizaje de los niños pone de relieve la importancia que tiene la evaluación funcional continua del niño en todos los programas Head Start, en particular aquellos que se encuentran en áreas de servicio diversas.

Los maestros pueden usar los procedimientos de evaluación funcional continua (por ejemplo, las observaciones de los niños en el aula, las observaciones durante las visitas domiciliarias y las conversaciones con los padres) para entender los conocimientos preliminares que tienen los niños a nivel individual. Al tomar en cuenta "los puntos de vista de los niños" (por ejemplo, entender las experiencias, el estilo de vida y lo que ya saben los niños), los maestros se encuentran en mejores condiciones de planificar un currículo que respalde de manera absoluta el aprendizaje de los pequeños.

Prácticas culturalmente receptivas; servicios culturalmente apropiados

Desde que se publicaron los *Principios multiculturales* en 1991, el campo de la educación de la primera infancia se ha caracterizado por un diálogo e interés continuos con respecto a los puntos en los que intersectan el desarrollo infantil, la cultura familiar y el idioma o idiomas del hogar con las políticas y prácticas del programa. En 1996, por ejemplo, la Asociación Nacional para la Educación de los Niños Pequeños (NAEYC, por sus siglas en inglés), publicó una declaración titulada: *Responding to Linguistic and Cultural Diversity: Recommendations for Effective Early Childhood Education (Receptividad ante la diversidad lingüística y cultural: recomendaciones para una educación eficaz en la primera infancia).*

En 1997, NAEYC hizo pública la revisión de su publicación sobre *prácticas apropiadas al desarrollo.* Este término fue formulado por profesionales encargados de tomar decisiones con respecto al bienestar y la educación de los niños, en base a por lo menos tres puntos importantes de información:

1. *Lo que se sabe acerca del aprendizaje y desarrollo infantil:* El conocimiento de características humanas relacionadas con la edad que permiten predicciones generales relativas dentro de un margen de edad con respecto a qué actividades, materiales, interacciones o experiencias serán seguras, saludables, interesantes, alcanzables y presentarán un reto para los niños.

2. *Lo que se sabe acerca de las fortalezas, los intereses y las necesidades de cada niño individual dentro del grupo:* necesario para poder adaptarse y ser receptivo a la inevitable variación que existe entre las personas.

3. *Conocimientos de los contextos sociales y culturales en los cuales viven los niños:* necesarios para garantizar que las experiencias de aprendizaje sean significativas, pertinentes y respetuosas para los niños participantes y sus familias (Bredekamp y Copple, 1997, p. 8–9).

Se espera que con esta información, los programas usen el conocimiento de los entornos culturales y sociales de los niños como un componente clave que permita tomar decisiones con respecto a los ambientes de enseñanza infantil. En 2009, NAEYC hizo pública su tercera revisión de la publicación (Bredekamp y Copple, 2009). En esta versión más reciente, se mantienen los tres tipos de conocimientos que se identificaron

Figura 3. Fuentes de prácticas apropiadas al desarrollo

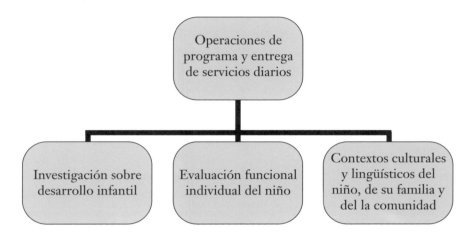

anteriormente en la publicación de 1997. En la Figura 3, a continuación, se ilustra el proceso de toma de decisiones con respecto a prácticas apropiadas al desarrollo.

Currículo en las aulas multiculturales

El término *prácticas culturalmente receptivas* se ha utilizado para referirse a la implementación de prácticas eficaces de enseñanza dentro de entornos educativos diversos de primera infancia. Una fuente describe las prácticas culturalmente receptivas como la *enseñanza dirigida hacia y mediante* las fortalezas de los niños cultural, étnica y lingüísticamente diversos (Gay, 2000, p. 29). De acuerdo a lo anterior, el término implica la integración de las prácticas relativas a la evaluación funcional y al currículo: el personal del programa debe aprender acerca de las fortalezas, aptitudes y preferencias individuales de cada uno de los niños matriculados en el programa, para luego encontrar avenidas que permitan planificar e implementar un currículo que se fundamente en dichos aspectos positivos. Por ejemplo, los maestros pueden usar las visitas domiciliarias para aprender sobre los intereses y las fortalezas del niño, observar cómo interactúan las familias con sus hijos y comenzar a dialogar con las familias sobre las metas que han establecido para el niño.

Materiales para el aula

En su libro titulado *The Right Stuff for Children Birth to 8* (Los útiles adecuados para niños desde recién nacidos hasta los ocho años), Martha Bronson (1995) ofrece sugerencias detalladas para la selección de materiales que sean inofensivos, apropiados y respalden el juego y el desarrollo del niño. Cabe destacar al respecto, que los materiales del aula potencialmente pueden describir a las personas de un modo estereotípico o sólo incluir imágenes simbólicas de personas que representen diversidad cultural. Por lo tanto, el reto está en conseguir materiales para el aula que reflejen a *todos* los niños, las familias y a los adultos del programa y eliminar el uso diario de aquellos materiales incorrectos o estereotípicos. Por ejemplo, los libros y los materiales disponibles para el juego imaginario deben reflejar la diversidad de los modelos de género, orígenes raciales y culturales, necesidades especiales y capacidades especiales de los niños, además de una amplia variedad de ocupaciones y márgenes de edad. Los libros y otros materiales impresos dentro del entorno infantil también deben representar los distintos idiomas de los niños del salón de clases.

El desafío para los programas radica en establecer sistemas y procedimientos que tomen en cuenta los contextos culturales y lingüísticos de los niños. Una vez que estos se hayan establecido, los materiales del aula deben ser revisados de manera habitual y continua para garantizar que los salones de clases reflejen a todos los niños matriculados sin existir estereotipos. Se recomienda que los programas recopilen información de los padres, integrantes de la familia y miembros informados de la comunidad para que puedan dar sus opiniones y comentarios con respecto a la preparación y el equipamiento de las aulas de modo que reflejen las culturas y los idiomas de una manera respetuosa.

Por último, el incentivo del crecimiento cognitivo y lingüístico de los niños no excluye la responsabilidad de apoyar el sentido de bienestar de cada niño, la formación de su propia identidad y sus sentimientos de seguridad. Por cierto, existe un consenso dentro de la investigación de que los ambientes eficaces para los niños respaldan todos los dominios del desarrollo y, que los ambientes relacionados con los resultados de aprendizaje también proveen un sólido respaldo para el desarrollo socioemocional (Hart y Risley, 1995, 1999; National Research Council and Institute of Medicine, 2000; Snow, Burns y Griffin, 1998). En vista de lo anterior, el ambiente del aula apropiado al desarrollo, a la cultura y al idioma del niño debe ser un reflejo fiel de las ideas, los valores, las actitudes y las culturas de los niños a quienes acoge (Gestwicki, 1995). A continuación se presentan algunas estrategias específicas para los programas sugeridas por Derman-Sparks (1989):

1. Utilice abundantes imágenes que representen a los niños, a las familias y al personal de su programa.

2. Utilice imágenes de niños y adultos de los grupos étnicos principales dentro de su comunidad y de la sociedad en los Estados Unidos.

3. Utilice imágenes que reflejen con exactitud la vida diaria actual de las personas en los Estados Unidos mientras realizan actividades laborales y de recreación.

4. Ofrezca un equilibrio entre los distintos grupos culturales y étnicos.

5. Proporcione un equilibrio justo de imágenes de mujeres y hombres realizando "labores y trabajo en casa" y "labores y trabajo fuera de casa". Provea imágenes de personas mayores o de la tercera edad de variados orígenes mientras realizan distintas actividades.

6. Proporcione imágenes de personas con distintas capacidades y de varios orígenes en el trabajo y con sus familias.

7. Use imágenes de diversidad en los estilos familiares, como madres y padres solteros, familias que incluyan a varios familiares y que sean multirraciales y multiétnicas.

8. Use imágenes de personas importantes, del pasado, del presente y que reflejen diversidad.

9. Exhiba obras de arte, como cuadros, esculturas y textiles, elaborados por artistas de distintas procedencias.

VOCES DE LA COMUNIDAD DE HEAD START

A continuación se presentan dos "voces" que corroboran el Principio 4 desde la perspectiva de un programa Early Head Start y la de un programa Head Start.

En un programa Early Head Start de Massachusetts, una madre de Ghana que hablaba muy poco inglés llevó a su hijita de 9 meses a nuestra clase y nos inquietamos. La niña no podía darse vuelta cuando estaba acostada o sentarse sola. Al principio, la comunicación era difícil y la madre parecía no estar feliz con el cuidado que estaba recibiendo la niña. El retraso de la niña parecía no preocuparle. La maestra intentaba por todos los medios de poder afianzar una relación con la madre, pero era una labor difícil.

A través de intercambios diarios de información, la maestra pudo establecer una relación con la madre y a la vez cuidar a la niña. A veces la maestra enviaba notas a la casa y una amiga de la madre se las traducía. La madre entonces traía una nota escrita para contestar. Para las visitas y reuniones domiciliarias, encontraron a un intérprete que facilitaba la comunicación. La maestra supo que la madre usaba un largo manto de tela para mantener al bebé envuelto junto a su cuerpo la mayor parte del tiempo, porque venía de una familia en la que no se deja a los bebés en el piso.

Una vez que la maestra entendió este punto de información tan importante, la maestra pudo ayudar a la madre a sentirse más cómoda con respecto al cuidado que estaba recibiendo la niña. Le explicó por qué se colocaba a los bebés sobre la barriga cuando era la hora de jugar en esa posición. La maestra le pidió autorización a la madre para poder llevar a cabo los planes que había desarrollado para la niña. Si la madre no quería que su hija pasara tiempo en el piso, ¿le parecería bien si se colocaba a la niña sobre una base de espuma con alguien junto a ella? La madre no tuvo problemas con esa idea, pero le inquietaba el hecho de que la niña necesitaba que la tuvieran en brazos más seguido. Puesto que la sala de bebés tenía muchas voluntarias, era fácil satisfacer este requisito. Las maestras y las voluntarias hacían el esfuerzo para tomar en brazos a la niña lo más posible y lo hacían de manera que pudieran ayudarla en su desarrollo motor grueso. Jugaban juegos del caballito sobre las rodillas, las maestras la ponían de barriga sobre sus piernas y le daban objetos grandes para que pudiera sostenerlos. El programa pudo comprar otra plataforma de espuma, parecida a la que usaban en la sala de bebés, para que la madre pudiera usarla en su casa con la niña.

A través de la comunicación, con paciencia y una mente abierta, la maestra pudo establecer una relación con la madre y creó oportunidades para que la niña pudiera mejorar sus habilidades motoras. A la vez, la madre conversó con la maestra y expresó su creencia de que a los bebés se les debe tomar en brazos con frecuencia. Respetando esta costumbre, la maestra la incorporó como una práctica en su planificación de las lecciones.

En una comunidad rural en los Estados Unidos, tanto los hombres como las mujeres se ausentan del trabajo el primer día de la temporada de caza. La mayoría son cazadores que esperan poder llenar sus congeladores con carne para alimentar a sus familias durante el invierno. El programa Head Start experimenta la llegada de la temporada de caza con la llegada de los niños pequeños al centro de Head Start llevando armas de juguete, igual que papá y mamá.

Los administradores y maestros del programa han dedicado innumerables horas a conversar cómo pueden restringir en sus programas los juegos con armas, cuando se encuentran en una comunidad que depende del uso de armas para alimentar a la familia. En uno de los establecimientos de Head Start, las maestras con experiencia anticipaban la llegada de los niños con sus armas de juguete, colocando un área de recepción al interior del centro que hacía de "punto de control de entrada" de las armas junto a la puerta. Un miembro del personal saluda a cada familia en la entrada y explica los procedimientos, tal como lo tenían que hacer en antaño. Cada niño recibe un boleto de papel a cambio de su arma de juguete, además de la garantía de que su arma será devuelta al final del día cuando se vayan a casa.

En otro establecimiento, los maestros usaban este acontecimiento como una oportunidad para educar a los niños pequeños sobre los requisitos necesarios para manejar y ser dueños de un arma. Los planes de las lecciones de los maestros incluían enseñar a los niños cómo solicitar un permiso para ser propietario legal de un arma, los reglamentos sobre armas de fuego y la seguridad con las armas. Después de que los niños terminaban estas lecciones, los maestros le entregaban a cada niño un certificado de asistencia.

Preguntas y actividades de reflexión

1. ¿Cómo realizan las visitas domiciliarias los maestros o los visitantes domiciliarios?

   ¿Se da suficiente tiempo durante las visitas domiciliarias para observar cómo se relacionan entre sí los niños, los padres y otros integrantes de la familia?

2. ¿Dedica el personal algún momento durante las visitas domiciliarias para preguntarle a los padres sobre información y cosas conocidas para el niño?

3. ¿Cómo se usan las observaciones que realizan los maestros en el aula para identificar los conocimientos que tienen sobre los orígenes del niño? A medida que el maestro adquiere conocimientos adicionales con respecto a lo que los niños saben y hacen, ¿se planifican las experiencias de aprendizaje en el aula teniendo en cuenta esta información sobre el niño?

4. ¿Cómo usa el personal del programa las conversaciones informales que tiene con los padres para averiguar más acerca del niño (por ejemplo, cuando se ven en el pasillo o cuando van a dejar o a buscar al niño)?

5. ¿De qué manera se incluye a los padres de familia en la planificación del currículo? ¿Se invita a los padres a que compartan información sobre los intereses y las actividades favoritas de su hijo? ¿Se usa esta información en la planificación del currículo?

6. ¿Cuenta su programa con algún tipo de procedimiento a través del cual se puedan examinar los conflictos que hayan surgido entre el personal y los padres con respecto a prácticas? ¿Tiene oportunidades el personal de discutir o simular situaciones distintas y practicar sus habilidades para dialogar con las familias?

Preguntas de reflexión adicionales

Dada la importancia de los contextos culturales y sociales para el desarrollo de los niños: De qué manera nosotros, como programa:

1. ¿Iniciamos esfuerzos para intercambiar o compartir información y crear oportunidades para iniciar un diálogo con los padres y los integrantes de la familia durante nuestros primeros contactos con ellos?

2. ¿Encontramos formas en las que los padres, los integrantes de la familia y los socios de la comunidad puedan compartir su experiencia, sus ideas, preferencias e información sobre sus orígenes culturales hasta el grado en que deseen hacerlo?

3. ¿Desarrollamos nuestras competencias para establecer y sostener un diálogo con las familias, en particular cuando existen interrogantes o conflictos sobre las prácticas del programa?

4. ¿Organizamos e integramos información entre los mismos miembros del personal? En otras palabras, cuando hay distintos empleados que trabajan con una familia ¿tienen oportunidades para intercambiar, compartir, discutir e integrar información a fin de generar servicios del programa que sean más eficaces?

5. ¿Logramos que nuestras asociaciones y diálogo con las familias y los socios de la comunidad se centren en torno al bienestar de los niños matriculados en nuestro programa? ¿Qué prácticas y estrategias hemos establecido para situaciones en las que haya un desacuerdo entre el personal y los padres?

PRINCIPIO 5:

Cada persona tiene el derecho de mantener su propia identidad mientras adquiere las habilidades que se requieren para funcionar dentro de nuestra diversa sociedad.

Puntos destacados de los *Principios multiculturales* originales (1991)

- Los niños necesitan que se reconozcan y se respeten las identidades culturales de sus familias.

- Los niños necesitan aprender una variedad de habilidades para poder funcionar eficazmente en una sociedad diversa.

- Los niños tienen el derecho de criarse en ambientes en los cuales existan diferencias y éstas se respeten.

Análisis de la investigación

Al igual que la cultura, nuestra identidad es dinámica y compleja. Nuestra identidad está conectada a nuestro trabajo y actividades, nuestras familias y patrimonios, nuestras ideas y creencias y nuestras elecciones y circunstancias. Los niños pequeños, desde el momento en que nacen y con el tiempo, van desarrollando sus identidades dentro del contexto de las relaciones familiares y de la comunidad.

Como se mencionó en el Principio 4, una de las maneras en que la cultura moldea el desarrollo del niño es a través de las *metas* que los adultos se han planteado para sus hijos, como también a través de los roles que asumen los adultos a fin de lograr dichas metas. Este proceso de configuración cultural naturalmente va a repercutir en cómo los miembros de un grupo cultural llegan a desarrollar una identidad personal y social. Aunque un análisis integral de la literatura relativa al desarrollo de la identidad está fuera del alcance y finalidad de este documento, cabe mencionar que algunos investigadores han investigado la conexión que existe entre las identidades culturales de grupos inmigrantes en los Estados Unidos y su logro escolar.

Una suposición común es que las culturas tradicionales "entorpecen" el éxito escolar. Se sostiene que las personas inmigrantes y las minorías deben "deshacerse" de la cultura de sus familias y adoptar las formas culturales de sus escuelas. Esta suposición fue cuestionada por un equipo de investigadores quienes compararon los niveles de asimilación a la cultura estadounidense con el logro escolar de los niños indochinos:

> *Las familias indochinas más exitosas parecen mantener sus propias tradiciones y valores.* Al hacer pública esta declaración, no estamos desvalorizando de manera alguna el sistema estadounidense. La transparencia y oportunidades que ofrece el sistema han permitido que los indochinos tengan éxito en los Estados Unidos aun cuando mantengan sus propias tradiciones culturales (Caplan, Choy y Whitmore, 1992, p. 41).

Otra conclusión es que la identidad cultural está conectada al desarrollo de la alfabetización. Altarriba (1993) formuló estos asuntos de la siguiente forma:

> La evidencia existente . . . sugiere de manera uniforme que la comprensión [de la lectura] se ve facilitada en la medida en que el lector está familiarizado culturalmente con el material que lee. Los sujetos experimentan interferencia cuando se les presenta material culturalmente poco familiar para que lo procesen. (p. 381)

En otras palabras, las prácticas culturalmente receptivas no sólo se pueden usar para elaborar el currículo y otras prácticas de enseñanza específicas diseñadas para la alfabetización en la primera infancia, sino que también son necesarias para apoyar el progreso académico de los niños. Según esta opinión, los programas no tienen que escoger entre servicios que fomenten el desarrollo académico y aquellos que ofrezcan receptividad cultural. Al contrario, se recomienda que los programas mejoren sus políticas y entrega de servicios culturalmente receptivas, a fin de brindar un respaldo absoluto para el aprendizaje y desarrollo de los niños (National Research Council and Institute of Medicine, 2000).

Implicaciones clave

Una implicación clave es que la cultura de la familia es una fuente de fortaleza, en especial para los niños pequeños. Por lo tanto, los programas deberían desarrollar procedimientos de evaluación interna que permitan analizar los sistemas y servicios del programa.

Familia y cultura: Fuentes de fortaleza

Las familias desempeñan un papel fundamental en la formación de la identidad de un niño y en ayudarlo a determinar su lugar en el mundo (Jackson et al., 1997). Por ejemplo, se descubrió que entre las familias afroamericanas de Head Start, la identificación positiva que tienen las madres con su raza guardaba una relación significativa con la competencia social del niño (Halgunseth et al., 2005). La autoestima, el funcionamiento psicológico positivo y el logro son todos factores que se han relacionado con la conexión o identificación que tiene una persona con su propio grupo racial o cultural.

Existen muchas situaciones en las que la cultura puede servir como fuente de fortaleza. La adopción informal del niño por otros familiares, padrinos o amistades es una práctica característica de las culturas de familias puertorriqueñas, afroamericanas e indias estadounidenses (Garcia-Preto, 2005; Moore-Hines y Boyd-Franklin, 2003). Asimismo, se ha determinado que las redes étnicas de parentesco y las redes sociales fomentan una mayor autoestima (Keefe y Padilla, 1987). Los estudios de investigación también han descubierto que muchos hispanos estadounidenses y asiáticos estadounidenses buscan redes de apoyo personal, oportunidades económicas y aceptación social dentro de sus propias comunidades étnicas (Vega y Rumbart, 1991).

De acuerdo a los *Principios multiculturales* (1991), es preciso reconocer y acoger la cultura de cada familia por sus singulares características y también como una fuente de fortaleza para respaldar el desarrollo infantil. Es importante ver a las familias dentro de su propia cultura, sus propias estructuras y prácticas características que pueden ser distintas de aquello con lo que estamos familiarizados o acostumbrados a ver. No obstante, estas diferencias no hacen que la familia o los niños sean de manera alguna deficientes, sino al contrario, estas diferencias los convierte en un recurso informado y rico que los programas deben aprovechar cuando planifican e implementan su programa.

VOCES DE LA COMUNIDAD DE HEAD START

Un programa para familias indias estadounidenses ubicado en una reserva de Wisconsin dirige salones en clases en dos idiomas para bebés, niños hasta los tres años y niños en edad preescolar, para preservar el idioma y la cultura *ojibwa* y a la vez apoyar la adquisición del idioma inglés. Aquellos miembros de la comunidad que tienen mayor fluidez en el idioma imparten continuamente instrucción lingüística para los empleados del programa. Los empleados llevan a cabo muchas actividades para fomentar la preservación del idioma, entre ellas, la implementación de juegos y experiencias de aprendizaje culturalmente receptivas en las aulas.

Por ejemplo, las clases de los niños hasta los tres años y de niños de edad preescolar exhiben muros de palabras con vocabulario básico en los idiomas *ojibwa* e inglés. Además, los maestros han creado afiches con historias conocidas para los niños. En una de las aulas, el afiche incluye la escena de un bosque con árboles, plantas, lagunas y pequeños animales. En un espacio de la escena, hay una base o muñón de árbol que señala que un castor ha roído el árbol hasta botarlo. El afiche se encuentra en un lugar del salón de clases donde los niños pueden jugar y usar su idioma para describir entornos y acontecimientos conocidos. Durante el juego, los maestros tienen la oportunidad de observar el lenguaje que usan los niños, elaborar y ampliarse en torno a las palabras que utilizan e presentar un vocabulario nuevo ya sea en *ojibwa* o en inglés.

En una actividad similar, durante la hora del juego libre, los maestros cubren las mesas con papel de estraza o para envolver. Con distintos marcadores de colores, estos esbozan entornos que son familiares para los niños, incluidos el Lago Superior, las vías del tren y los árboles. Los maestros luego agregan pequeños juguetes al entorno, como trenes de juguete, animales pequeños, calcomanías o ilustraciones adhesivas, sombreros y otros artículos para disfrazarse. Lo que en este caso comenzó como una actividad iniciada por los maestros posteriormente se puede traspasar a los niños, para que tengan la oportunidad de desarrollar distintas ideas en el juego. Al igual que la actividad del afiche de historias, este tipo de juego imaginario permite que los niños dirijan su propia actividad, desarrollen historias complejas sobre su ambiente y el tipo de acontecimientos que ocurren en él, además de aprovechar la oportunidad para expresarse usando sus idiomas.

Preguntas y actividades de reflexión

1. Observe el área de los libros dentro del aula. ¿En qué medida reflejan los libros la herencia racial, étnica y lingüística de todos los niños matriculados en esa aula? ¿Cómo se usa la disposición y decoración del área favorablemente para invitar a los niños de diversos orígenes a que entren a esa sección de la clase y seleccionen libros?

2. ¿Qué tan familiarizado está usted con los relatos que los padres u otros integrantes de la familia les narran o les leen a los niños de su programa? Si conoce esas historias o relatos, ¿cómo utiliza esta información para planificar un currículo? Si no las conoce, ¿cómo puede obtener esta información?

3. ¿Cuenta su programa con normas o políticas formales que aseguren que el personal docente o los voluntarios les lean libros a los niños en el idioma del hogar y en inglés? ¿Reflejan los libros que se ofrecen en el salón de clases los idiomas hablados por todos los niños matriculados?

4. ¿Cómo se les invita a los padres a compartir su(s) cultura(s) con los niños, las familias o el personal del programa? ¿Cómo se les invita a los padres a que conversen con el personal del programa y expresen lo que hace que su familia "se sienta en casa"?

5. ¿Qué indicadores y sistemas específicos puede identificar su programa que demuestren respeto y apoyo por las culturas de todas las familias matriculadas?

PRINCIPIO 6

Los programas eficaces para niños que hablan un idioma que no es el inglés necesitan fomentar el desarrollo continuo del idioma principal del niño mientras se facilita su adquisición del inglés.

Puntos destacados de los *Principios multiculturales* originales (1991)

- La adquisición del idioma es un proceso natural basado en el descubrimiento de significados.

- El uso del idioma principal de los niños facilita su aprendizaje en los años preescolares.

- La investigación señala que el desarrollo y mantenimiento del idioma principal del niño respalda y facilita el aprendizaje del segundo idioma. Esto se logra con mayor éxito cuando no se usa la traducción y se reconoce la necesidad de que el niño debe desarrollar una comprensión antes de hablar.

Análisis de la investigación

Desde la publicación de los *Principios multiculturales* en 1991, los estudios de investigación sobre el desarrollo de dos idiomas (es decir, la adquisición de más de un idioma) han respaldado sistemáticamente este Principio. En primer lugar, la investigación ha demostrado que el desarrollo de dos idiomas no interfiere con la adquisición de los indicadores típicos del desarrollo. En segundo lugar, la investigación ha identificado aspectos clave con respecto a ambientes que fomentan la adquisición del idioma. En tercer lugar, las conexiones que existen entre el idioma y la adquisición de las habilidades conceptuales constituye uno de los motivos convincentes de por qué es necesario el desarrollo continuo del idioma del hogar del niño. Por último, los estudios más recientes en este ámbito señalan que el uso continuo del primer idioma facilita la adquisición del inglés. A continuación se presentan resúmenes de las conclusiones de la investigación. Se recomienda que los programas consulten el informe sobre el aprendizaje en dos idiomas de Office of Head Start, titulado "Aprendizaje en dos idiomas: ¿Qué hace falta?". El documento se puede encontrar en el sitio web de

Early Childhood Learning and Knowledge Center (ECLKC). Dirección del sitio web: http://eclkc.ohs.acf.hhs.gov/hslc.

La adquisición de dos idiomas:¿retrasa el desarrollo?

El desarrollo de dos idiomas en los niños pequeños se caracteriza por la *variabilidad*; en otras palabras, existen varias trayectorias hacia la adquisición de dos idiomas. Si bien es probable que la mayoría de los niños del mundo estén expuestos a más de un idioma (Bialystok, 2001), el desarrollo de dos idiomas en los niños con frecuencia constituye motivo de ansiedad para los adultos. La ansiedad puede estar caracterizada por la inquietud de que el desarrollo de dos idiomas es "demasiado difícil" para ellos.

En base a estas inquietudes, se han recopilado varios estudios y analizado datos relativos al desarrollo de dos idiomas en niños bastante pequeños. Oller, Eilers, Urbano y Cobo-Lewis (1997) analizaron a grupos de bebés monolingües y bebés que estaban aprendiendo dos idiomas (español e inglés) para analizar cuándo comenzaban a balbucear y cuánto era lo que balbuceaban. Los investigadores no encontraron diferencias significativas entre los dos grupos.

Petito y sus colegas (2001) analizaron a grupos de niños monolingües y niños que estaban aprendiendo dos o más idiomas (francés, inglés y lenguaje por señas) y compararon la adquisición de los siguientes indicadores lingüísticos: primeras palabras

---

Definiciones

Niños que aprenden dos idiomas (DLL): Niños que aprenden dos (o más) idiomas simultáneamente, como también aquellos que aprenden un segundo idioma, mientras continúan desarrollando su primer idioma (o idioma del hogar) (ACF, 2008).

L1: Se refiere al primer idioma de un niño, también conocido como idioma del hogar o idioma principal.

L2: Se refiere al segundo idioma de un niño.

Niños que aprenden un segundo idioma y el desarrollo bilingüe secuencial: Niños que comienzan a aprender un idioma adicional después de los tres años de edad (Genesee, Paradis y Crago, 2004, p. 4).

Desarrollo bilingüe simultáneo: Niños que aprenden dos o más idiomas desde el nacimiento o que comienzan a aprenderlos dentro de su primer año de vida (Genesee, Paradis y Crago, 2004, p. 4).

habladas (o por señas), expresiones o sonidos de dos palabras y un vocabulario de 50 palabras. La investigación anteriormente realizada con respecto a niños monolingües ha establecido estos indicadores como puntos importantes dentro del proceso de desarrollo. Petito y sus colegas no encontraron diferencias importantes en la edad en la cual los niños, que están aprendiendo dos o más idiomas logran los hitos lingüísticos que se han establecido, en comparación con los niños monolingües.

Otros investigadores han examinado el desarrollo de dos idiomas en los niños de edad preescolar (Rodríguez, Díaz, Durán y Espinosa, 1995; Winsler, Díaz, Espinosa y Rodríguez, 1999). En estos estudios, se comparó a niños de habla hispana de bajos ingresos que asistían a programas preescolares bilingües con niños similares que estaban en casa. Los salones de clases usados en el estudio eran "verdaderamente bilingües en el sentido de que los maestros pasaban una proporción aproximadamente igual de tiempo hablando en español y en inglés" (Winsler et al., 1999, p. 360).

Los niños matriculados en los programas preescolares bilingües demostraron adelantos significativos en la adquisición de vocabulario tanto de español como de inglés. Estos niños que asistían a los programas preescolares bilingües, en lugar de experimentar un declive en su dominio del primer idioma, demostraron un incremento continuo de habilidades en su primer idioma. Además, estos niños pudieron acelerar el desarrollo de habilidades específicas en español, tal como el uso de un mayor número de palabras para poder contar una historia. Los autores atribuyeron el progreso de estos pequeños en ambos idiomas a la naturaleza de tan gran calidad de los programas a los cuales asistían los niños. Aunque la base de la investigación con respecto a este campo no es amplia, las pruebas disponibles son constantes: los niños son capaces de adquirir más de un idioma, cuando se les da la oportunidad de estar constantemente expuestos a ambos idiomas.

Idioma del hogar y habilidades conceptuales

El desarrollo lingüístico involucra más que sólo aprender a hablar la lengua. A medida que los niños adquieren el idioma que se habla en el hogar, sus conocimientos conceptuales también aumentan. Desde que nacen hasta los cinco años, los niños desarrollan una amplia gama de habilidades conceptuales importantes, entre ellas las siguientes:

1. **Categorización**: Los niños son capaces de identificar manzanas, bananas y naranjas como ejemplos de frutas o son capaces de reconocer las diferencias entre niños y adultos.

2. **Clasificación**: Los niños son capaces de distinguir entre objetos grandes y pequeños o son capaces de agrupar los objetos de acuerdo a dos o más atributos o características (por ejemplo: "Esta fuente es roja y de plástico. Esa fuente es verde y está hecha de vidrio").

3. **Narración**: Los niños son capaces de describir experiencias anteriores como una historia coherente (es decir, lógica, fácil de entender) o son capaces de recordar en detalle de qué se trataba un libro favorito.

4. **Causa y efecto**: Los niños son capaces de identificar los gérmenes como la fuente de enfermedades o son capaces de entender que los rayos del sol pueden causar quemaduras.

5. **Razonamiento lógico**: Los niños son capaces de vincular dos ideas en orden lógico (por ejemplo, "tenemos que ordenar, porque ya es casi la hora de subirse al autobús") o son capaces de distinguir entre actividades reales e imaginarias.

6. **Operaciones numéricas**: Los niños son capaces de contar los objetos de un grupo o son capaces de sumar pequeñas cantidades para obtener la suma correcta.

7. **Relaciones espaciales**: Los niños son capaces de indicar objetos que están sobre, debajo o junto a otro objeto o son capaces de indicar, por ejemplo, que un objeto se encuentra hacia la izquierda de otro.

De diversas maneras concretas e importantes, los niños desarrollan una amplia gama de habilidades conceptuales importantes a medida que adquieren y desarrollan su primer idioma. Estas habilidades son esenciales para la lectura y el éxito escolar, aparte de que las habilidades tienen el potencial de transferirse de un idioma a otro. Para fomentar la preparación escolar de los niños, los programas Head Start deben maximizar el

desarrollo conceptual ininterrumpido de estos durante el período preescolar, fomentando el aprendizaje del idioma del hogar al igual que el inglés.

Los cimientos del idioma del hogar

El apoyo firme y constante al desarrollo del idioma del hogar es la clave de la adquisición del segundo idioma. Como lo explica Collier (1995):

> La clave para comprender el papel que desempeña el primer idioma en…segundo idioma es comprender la función de desarrollo cognitivo ininterrumpido….cuando los padres y los niños hablan el idioma que saben mejor, están funcionando a su nivel real de madurez cognitiva (p. 6-7).

Es decir, es preciso incentivar a los padres de familia a que usen el idioma que conocen mejor cuando hablan con sus hijos. A medida que los niños continúan desarrollando sus conocimientos en su primer idioma, estos mismos conocimientos y conceptos aprendidos pueden transferirse a un segundo idioma una vez que el niño haya desarrollado el vocabulario y las aptitudes gramaticales en ese segundo idioma.

Esta postura se vio respaldada recientemente con los resultados de un estudio realizado por Miller y colegas (2006). Los autores, en su estudio de 1,500 niños bilingües en español e inglés que estaban matriculados en kindergarten y hasta tercer grado, analizaron cómo el dominio oral del idioma ya sea en español o en inglés se relacionaba con las capacidades de lectura de los niños en ambos idiomas. Los autores señalaron que el dominio oral del inglés servía como un factor de predicción de sus puntajes de lectura, tanto en inglés como en español. Asimismo, el dominio oral del idioma español podía predecir sus puntajes de lectura en ambos idiomas. Las pruebas de este estudio indican que un mayor dominio lingüístico en un idioma respalda la capacidad de lectura en el segundo idioma.

Si bien los resultados provienen de un solo estudio, estas conclusiones no corroboran la idea de ofrecer aulas sólo en inglés para niños que hablan otros idiomas que no sean inglés. De hecho, las conclusiones indican que el desarrollo continuo del idioma que el niño habla en el hogar, con un énfasis explícito en el desarrollo de habilidades lingüísticas orales sólidas, constituye una fuente directa de apoyo para la adquisición del inglés por parte del niño y, en particular, para el éxito futuro de la lectura en inglés.

Implicaciones clave

La Figura 4 presenta una imagen visual imperfecta pero tal vez útil del desarrollo secuencial de dos idiomas. El gráfico indica que un niño ha comenzado a adquirir un idioma desde el nacimiento (indicado como L1) y posteriormente, a los cuatro años de edad, comienza a adquirir un segundo idioma (indicado como L2).

Al analizar el gráfico, tengan presente la gran variedad de habilidades conceptuales que adquieren y desarrollan los niños en su idioma del hogar (L1). (Estas habilidades se enumeran en las páginas 53-54). A partir de esto, considere el grado de desarrollo del segundo idioma de los niños (L2).

La Figura 4 demuestra que los niños realizan un progreso constante en su L2 [segundo idioma]. Sin embargo, su adquisición de vocabulario en L2 lleva tiempo. Cuando se considera la gama de habilidades conceptuales que se forman en L1 [primer idioma], y luego se toma en cuenta el grado de desarrollo del segundo idioma, es difícil imaginarse cómo podrían continuar desarrollando los niños sus conocimientos conceptuales si se les limitara considerablemente o se eliminara totalmente el acceso a su primera lengua.

Figura 4. **Visualización de la adquisición secuencial de dos idiomas**

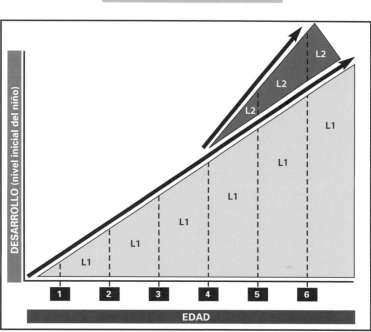

En otras palabras, durante los primeros años de desarrollo secuencial de dos idiomas, los niños no tienen el nivel de vocabulario y otras habilidades lingüísticas en L2 (por ejemplo, la gramática) como para usar o desarrollar sus habilidades conceptuales. Simplemente no existe suficiente "materia prima" lingüística para hacerlo.

Por lo tanto, el Principio 6 corrobora la investigación en el ámbito de adquisición de idiomas y la investigación en el campo de desarrollo de las habilidades conceptuales. Los programas deben fomentar el desarrollo continuo del idioma del hogar del niño, en la medida de lo posible, contratando a maestros o consiguiendo a voluntarios. No obstante, es evidente que no todos los programas podrán contratar a personal que tenga fluidez en todos los idiomas distintos que hablan los niños y las familias. Por lo tanto, es vital que los programas establezcan asociaciones con los padres de familia y otros miembros de la comunidad para motivarlos a prestar dicha ayuda. Los empleados del programa pueden ayudar a las familias a que exploten sus propias competencias e intereses (por ejemplo, en relatar historias, hacer cobijas o frazadas tradicionales, trabajar en el jardín, hacer juegos y actividades físicas) y dialoguen con ellas sobre cómo pueden contribuir y participar en el salón de clases como oportunidad para que enseñen sus habilidades.

Al mantener el desarrollo del idioma del hogar, estamos apoyamos simultáneamente el avance de muchas habilidades conceptuales que son necesarias para el éxito académico posterior del niño. Este mejoramiento y aprendizaje continuado del idioma del hogar puede lograrse, introduciendo y fomentando en los niños el desarrollo del idioma inglés.

VOCES DE LA COMUNIDAD DE HEAD START

Un programa del estado de Washington reconoció lo difícil que era poder respaldar a niños que hablan idiomas que no son el inglés, cuando dentro de su programa Head Start, en un año cualquiera, se hablaban entre veinte y treinta idiomas. El programa tiene la cobertura de una amplia área geográfica: algunos centros sólo tienen hablantes de español e inglés, pero en otros, se hablan entre cinco y siete idiomas en un solo salón de clases.

El programa creó un proyecto para ayudantes bilingües, dirigido por el gerente de servicios bilingües. Los ayudantes bilingües a tiempo parcial, a quienes se les contrata al comienzo del año programático, son miembros de la comunidad, padres de niños que anteriormente han estado matriculados en el programa y otras personas que entienden y hablan suficiente inglés y uno de los idiomas del hogar requeridos. A los ayudantes bilingües (que no son parte del requisito de proporción maestro-niño) se les asigna a un aula cada vez que exista un mínimo de cuatro niños que hable el mismo segundo idioma en un salón de clases determinado. (No se asignan asistentes bilingües a las aulas con menos de cuatro niños que hablen un segundo idioma.

No obstante, en estos salones de clases, hay voluntarios capacitados que hablan el idioma de los niños, sirven de ejemplo al hablar el idioma y trabajan individualmente con los niños).

El programa ofrece capacitación a los ayudantes bilingües que trabajan con los maestros a fin de que ayuden a los niños a aprender sobre expectativas, transiciones y rutinas. Los ayudantes están capacitados en cómo proporcionar apoyo lingüístico individual para trabajar paralelamente al nivel de los niños en su proceso de adquisición de los idiomas. Existe el requisito de que los maestros que trabajan en el aula deben completar un módulo de capacitación en Internet sobre cómo trabajar efectivamente con las ayudantes bilingües y sobre la importancia de la conservación del idioma del hogar del niño y la adquisición de un segundo idioma. El gerente de servicios bilingües junto con cada uno de los maestros deciden cuánto tiempo permanecerá el ayudante bilingüe en el salón de clases. Los ayudantes bilingües son una parte integral de la filosofía del programa de apoyar y utilizar el primer idioma del niño mientras se fomenta su adquisición del inglés.

Preguntas y actividades de reflexión

1. Revise la lista de habilidades cognoscitivas que desarrollan los niños a medida que van adquiriendo el idioma del hogar (véase la sección Habilidades en el idioma del hogar y conceptuales, de la pág. 47). ¿Demuestran las observaciones de las aulas de su programa que los maestros planifican las experiencias de aprendizaje para fomentar la adquisición de estas habilidades en los niños?

2. ¿En qué medida puede contratar el programa a personal que hable los idiomas del hogar de los niños matriculados en el programa?

3. Cuando no es posible contratar a personal que habla el idioma de las familias, ¿qué ha hecho el programa para aumentar el acceso que tienen éstas a todos los servicios de Head Start y para comunicarles la importancia del apoyo familiar para mantener el(los) idioma(s) del hogar?

4. ¿Cuenta su programa con políticas por escrito relativas al idioma del hogar y al inglés como segunda lengua? Si no las tiene, ¿qué tipo de información se necesita para comenzar? Si las tiene, ¿cómo se dan a conocer estas políticas al personal y a los padres de familia?

5. ¿Qué políticas y prácticas se han establecido en su programa para fomentar la comprensión que tienen los padres sobre desarrollo del primer y segundo idioma?

PRINCIPIO 7

La programación culturalmente pertinente requiere de personal que sea receptivo y refleje a la comunidad y a las familias a quienes entrega servicios.

Puntos destacados de los *Principios multiculturales* originales (1991)

- Las *Normas de Desempeño del Programa Head Start* requieren que los concesionarios contraten a personal que refleje a los grupos raciales y étnicos de los niños matriculados en el programa.

- La incorporación de la relevancia cultural y el respaldo del desarrollo continuo de idioma del hogar del niño constituye la base fundamental para un buen programa.

Análisis de la investigación

La investigación e información presentada en el Principio 6 indica que, los niños pequeños matriculados en un ambiente de salón de clases se benefician cuando por lo menos un adulto habla el idioma de su hogar. En las visitas domiciliarias, las aptitudes del visitante domiciliario para hablar el idioma de la familia son particularmente esenciales si desea establecer y desarrollar una relación que apoye a la familia y respalde el desarrollo de los niños. Independientemente de cuál sea la opción del programa en la cual esté matriculado el niño, es necesario que las familias tengan una total comprensión de lo que es el programa Head Start, el tipo de servicios que reciben sus hijos y de qué manera pueden participar como familias. Es preciso que los padres comprendan el progreso que realiza el niño y puedan contribuir a él.

Implicaciones clave

Las *Normas de Desempeño del Programa Head Start* reflejan el Principio 7. Las normas requieren lo siguiente:

- La comunicación integral recíproca y efectiva entre el personal y los padres ocurra de manera habitual y en un idioma que entiendan los padres;

- que el personal y los consultores del programa estén familiarizados con la herencia y los orígenes étnicos de las familias;

- las reuniones y las interacciones con la familia deben respetar la diversidad y los orígenes culturales y étnicos de cada familia;

- en los casos en los que una mayoría de los niños hable un idioma que no sea el inglés, debe contratarse a un empleado para el aula (o visitante domiciliario) que hable el idioma de los niños.

Estos requisitos, paralelamente con muchos otros que se relacionan con la receptividad cultural y lingüística del programa, exigen la contratación de miembros del personal que reflejen la composición lingüística y cultural tanto de los niños como de las familias.

Durante muchos años, en los programas Head Start se ha guardado la tradición de "formar a sus propios empleados" o de contratar a nivel interno para reflejar a la comunidad y a las familias a quienes se brinda servicios. En algunos casos, un programa puede capacitar a voluntarios que se han entregado y comprometido con el programa, pero que tal vez, no cuentan con los antecedentes profesionales necesarios para optar a puestos de empleados. Durante el proceso de inclusión de voluntarios, se trabaja en torno al desarrollo profesional de estas personas para encaminarlas a convertirse en suplentes remunerados y, posteriormente, pasen a ser personal pagado con capacitación continua. Los programas tribales desde hace muchos años han estado contratando a personas dentro de la comunidad para luego darles formación y permitirles crecer como personal del programa.

Los programas deben poder comunicarse con las familias y los niños de maneras que sean significativas. Es preciso que los programas se aseguren de que el personal y los consultores estén familiarizados con los antecedentes étnicos de las familias. Esta información debe comunicarse por escrito e incluirse en las políticas para el personal y los consultores. Además, los programas deben estar conscientes de cómo utilizar las aptitudes bilingües de su personal. Por ejemplo, si a una maestra bilingüe, a quien se le ha contratado con la finalidad de que enseñe e interactúe con los niños y las familias, también se le pide que interprete o que traduzca de manera habitual, esto no se considera algo apropiado. Las responsabilidades adicionales de lo que implica traducir y/o interpretar pueden consumir totalmente a la maestra. Además, los programas deben recordar que no porque una persona hable un idioma, eso signifique que la persona sea competente como intérprete o traductora, o se sienta cómoda interpretando para otra persona o traduciendo documentos escritos de un idioma a otro.

Los programas deben explorar la mejor forma en que los padres reciban la información. Es necesario que los programas trabajen con estos para determinar su nivel de alfabetización en el idioma del hogar y así evitar suposiciones de que si un documento se traduce y se envía al hogar, entonces automáticamente va a ser leído y entendido por los padres.

VOCES DE LA COMUNIDAD DE HEAD START

Durante los meses de verano, los programas de Head Start para familias migrantes y trabajadores de temporada tienen que cumplir con una norma de educación especial dictada por las *Normas de Desempeño del Programa Head Start* y la Ley de Educación para Personas con Discapacidades (IDEA). Ambas requieren que los niños con posibles discapacidades reciban una prueba diagnóstica de detección, una evaluación y se puedan identificar para que reciban servicios de educación especial dentro de un período de tiempo finito, a través de entidades que ofrecen servicios conforme a la Parte C o Parte B de dicha ley. Los distritos escolares son responsables por poner en práctica los programas de educación especial, pero normalmente están cerrados durante los meses del verano. Sin embargo, esto no exime a los programas de su responsabilidad de garantizar los servicios correspondientes para los niños.

Un concesionario que brinda servicios a familias migrantes y trabajadores de temporada en California, a fines de satisfacer este requisito, hizo todo lo posible por emplear bajo contrato a patólogos de habla y lenguaje bilingües con licencia estatal que, de pequeños, habían sido niños migrantes. El programa hizo su labor de reclutamiento en las universidades cuando los estudiantes estaban por obtener sus títulos profesionales. Los estudiantes pudieron realizar su práctica en el programa Head Start para familias migrantes y trabajadores de temporada. ¿Qué mejor forma de encontrar personal que pudiese evaluar y brindar servicios a los niños? Los patólogos de habla y lenguaje comprendían la importancia que tenía para estas familias el que se hicieran las evaluaciones oportunamente, además entendían el estilo de vida de las familias migrantes. Cuando se reunían con las familias, sus conversaciones eran ricas en percepciones culturales y recalcaban la relevancia de preservar el idioma del hogar. Estos profesionales podían explicar la importancia de la intervención terapéutica temprana, como también ayudar a las familias a resolver situaciones en las cuales se sintieran reacias a participar. Estas conversaciones representaban la preparación perfecta para los años escolares futuros. También garantizaban que los niños recibieran servicios una vez que los padres aprendían cómo defender y apoyar a sus hijos y saber entregar a las escuelas su plan oficial del Programa de Educación Individualizada de su hijo cuando se mudaban a otro estado.

Estos profesionales bilingües con licencia estatal expresaron su deseo de devolver la mano a sus raíces y, a la vez, hicieron posible que los servicios se brindaran con una interrupción mínima para los niños de Head Start para familias migrantes y trabajadores de temporada. Ésta fue, sin lugar a dudas, una situación en la que todos resultaron favorecidos.

Preguntas y actividades de reflexión

1. ¿Cómo reúne el programa actualmente información de las familias? ¿De qué manera ayudan al personal las prácticas de recopilación de información para que éste pueda entender mejor los valores y las creencias culturales de las familias matriculadas en su programa?

2. ¿Cómo identifica y toma en consideración su programa los intereses que tienen los padres en recursos y servicios culturalmente específicos?

3. ¿Cómo informa el programa a las familias dentro de su área acerca de los servicios que ofrece el programa Head Start?

4. ¿Cómo garantiza el programa que los padres que provienen de distintos grupos culturales o aquellos que hablan idiomas que no sean inglés estén completamente informados y participen en toda la gama de oportunidades que brinda su programa para la participación de los padres?

5. ¿Cómo hace gestiones su programa en sus labores de extensión, reclutamiento y contratación del personal; cómo elige a padres, voluntarios y consultores, para que sean un fiel reflejo de las familias y la comunidad?

PRINCIPIO 8:

La programación multicultural permite que los niños desarrollen la conciencia, el respeto y la apreciación por las diferencias culturales individuales.

Puntos destacados de los *Principios multiculturales* originales (1991)

- La diversidad dentro del salón de clases y las experiencias de socialización en el hogar pueden constituir los puntos de partida para las experiencias de aprendizaje y discusiones planificadas con respecto a las diferencias culturales individuales.

- La información cultural debe ser integrada a los entornos diarios y a las experiencias de aprendizaje del niño, en lugar de enseñar la cultura como una actividad esporádica.

- Una meta importante es desarrollar la capacidad de los niños para comunicarse eficazmente con personas que son distintas a ellos.

Análisis de la investigación

La creciente diversidad lingüística y cultural en muchos programas Head Start refleja las tendencias demográficas a largo plazo en los Estados Unidos. Si bien todas las personas están arraigadas en la cultura, también es importante reconocer que las personas son entes individuales. Dentro de cualquier grupo cultural, pueden existir diferencias en cómo se cría a los niños. Por lo tanto, es importante evitar pensar que todos los miembros de una cultura son "iguales". Al contrario, debemos trabajar para comprender y apreciar a cada niño y a cada familia por la singularidad que los caracteriza.

Transmisión cultural: El papel de las rutinas

Valsiner (1997) ofreció una explicación de cómo están conectadas las diferencias culturales e individuales. Según su opinión, la alimentación y las horas de comida proporcionan un "microcosmos dentro del cual se inician los patrones culturales de conducta y en cual el niño (individual) se ve enfrentado a su conocimiento cultural acerca del mundo" (Valsiner, 1997, p. 214).

Durante las comidas, los adultos limitan deliberadamente algunas de las acciones de los niños y fomentan otras, moldeando así (pero no determinando) su futuro desarrollo. Los padres y los integrantes de la familia sirven de ejemplo y explican si el niño puede comer solo y cómo puede hacerlo, lo que puede comer y en qué cantidad, y cómo se preparan, sirven y guardan los alimentos.

Según Valsiner (1997), los niños están expuestos a información cultural a cada hora de comida. La información se transmite directa e indirectamente. Por ejemplo, mientras los niños comen, se les da instrucciones directas (por ejemplo: siéntate bien, come con la boca cerrada, cómete todo lo que tienes en el plato). Estas indicaciones directas también entregan información relacionadas con el contexto religioso, comunitario, social y otros contextos familiares.

Sin embargo, las instrucciones directas no son la única forma en la cual se transmite la cultura. Dentro de una ocasión estructurada como lo son las comidas, los integrantes de la familia indirectamente exponen a los niños a distintas maneras de pensar y de comportarse (Valsiner, 1997, p. 226). En estas situaciones, y con frecuencia antes de que existan instrucciones directas, los niños están expuestos a maneras de actuar e interactuar, al observar a integrantes de la familia y a otras personas. Durante las comidas, hasta los niños más pequeños pueden ver lo que se hace, cómo se hace y quién lo hace. Los niños pueden, por ejemplo:

- Observar cómo se preparan las comidas y se realizan las labores de casa;
- tomar parte en conversaciones y escuchar a sus padres expresar opiniones;
- estar expuestos a historias, al humor y la tristeza;

- recibir instrucción religiosa;

- ser instruidos en cómo comunicarse y comportarse de manera educada; y

- observar y oír por casualidad comentarios sobre acontecimientos de la comunidad.

El componente clave de esta exposición indirecta a información cultural se convierte en el papel activo del niño al absorberlo. Es decir, un niño no absorbe la información "textualmente", ni tampoco accede a dicha información del mismo modo. Al contrario, los niños procesan la información tal como les llega, activamente "dándole sentido" a lo que ven y escuchan. Hasta los niños más pequeños pueden comparar observaciones que han hecho en un ambiente con las de otros ambientes.

Implicaciones clave

Las culturas difieren en muchos aspectos en cuanto su alimentación y a las horas de comida. La cultura puede ofrecer estructura en estas situaciones como también presentar a los niños a prácticas y procedimientos que se pueden definir como "aceptables". No obstante, cada persona dentro de una cultura toma sus propias decisiones en cuanto a cómo vivir, cómo actuar, con qué valores sentirse identificado y qué creencias considerar importantes a nivel personal.

Una conclusión clave dentro de la literatura de la investigación es que los niños adquieren información cultural a través de distintas vías. En ocasiones, es posible que reciban instrucciones directas en cuanto a reglas y expectativas comunes de su cultura, como por ejemplo, la conducta esperada durante las comidas. En otras circunstancias, los niños adquieren información cultural a través de sus propias observaciones, las de los miembros de su familia inmediata (como también otros familiares). Los niños también observan a los maestros y a otros adultos de su programa Head Start, a adultos que proporcionan cuidado infantil y a otros miembros de su comunidad. En palabras más simples, todos los adultos son un ejemplo para los niños cuando se desenvuelven en el mismo ambiente que los pequeños. Por lo tanto, ello implica que la transmisión cultural por parte del personal del programa es que deben desarrollar formas de comunicación con las familias de modo que puedan usar los conocimientos que tienen de su vida diaria y utilizarlos para tomar decisiones con respecto al diseño del ambiente del salón de clases.

VOCES DE LA COMUNIDAD DE HEAD START

Una maestra de Head Start de un programa en Kansas contó que durante todos los años en los que había estado enseñando, en realidad no había pensado muy detenidamente sobre su propia herencia cultural o acerca de la cultura misma de su familia. Un día estaba leyendo a los niños una historia que se trataba de una abuela italiana que alegremente preparaba la cena para su familia. Ese fue un momento de revelación para ella. La historia la hizo volver a sentirse "en casa". Repentinamente nació la conexión que pudo hacer con su familia a partir de la historia y brotó el orgullo que sentía acerca de su origen italiano. La maestra señaló que antes de ese momento no entendía lo poderoso que podía ser la programación multicultural para los niños.

Una semana después escogió un libro de cuentos sobre un niño indio estadounidense, puesto que había una niña de origen indio en su clase. En esa época había muy poca representación de la cultura de la niña en el currículo. Nos contó que la niña inmediatamente se acercó a ella después de haberle leído la historia. Pasaron algunos momentos juntas mirando las ilustraciones del libro y volviendo a revisar algunas de las páginas que le interesaban a la niña. La maestra envió el libro a casa con la niña y la motivó a que lo compartiera con su familia. Este simple gesto fomentó una relación más cercana y sólida entre el centro de Head Start y la familia. Durante el mes siguiente, la madre de la niña participó en el salón de clases como voluntaria y ambos padres asistieron juntos a la reunión de padres el mes siguiente.

Preguntas y actividades de reflexión

1. Si su programa brinda servicios a bebés y niños pequeños: ¿Cómo reúne información con respecto a las prácticas de cuidado infantil que tienen las familias? Por ejemplo, ¿cómo llega usted a enterarse de las estrategias que usa una familia determinada para alimentar a su hijo, hacerlo dormir o tomarlo en brazos?

2. En el caso de niños de edad preescolar, ¿cómo se reflejan en las aulas las culturas de los niños matriculados? ¿Cómo logran las experiencias diarias de aprendizaje que los niños aprendan acerca de otras culturas y desarrollen un respeto por ellas?

3. ¿Qué oportunidades tienen los padres para forjar relaciones con otros padres y desarrollar nuevos entendimientos de las personas que provienen de distintos grupos culturales dentro de la comunidad?

PRINCIPIO 9

La programación culturalmente pertinente y diversa analiza y desafía los prejuicios institucionales y personales.

Puntos destacados de los *Principios multiculturales* originales (1991)

- Es necesario examinar los sistemas y servicios del programa para detectar prejuicios institucionales.

- Es necesario enseñarles a los niños las habilidades necesarias para enfrentar los prejuicios.

Análisis de la investigación

Uno de los retos de entender lo que es cultura incluye la manera de cómo la adquirimos. Rogoff (1990) planteó el problema de la siguiente forma: Somos "ciegos" ante nuestra propia cultura, porque nuestra propia forma de pensar y vivir, la que se ha venido formando durante toda una vida, se ha convertido en un hábito. Aunque los seres humanos viven dentro de una o más culturas, nuestros conocimientos culturales a menudo yacen en el subconsciente. Puesto que la mayoría de las cosas que hacemos diariamente (como trabajar, comer, relajarnos, criar a los niños) involucra rutinas, muy pocas veces nos ponemos a pensar conscientemente en que la cultura es lo que en realidad moldea nuestra conducta.

Otro reto para entender lo que es cultura involucra los aspectos personales, sociales y emocionales de la información cultural y las formas de vida. Nuestra manera de pensar y vivir, que son inherentes a nuestros hábitos desde la infancia, naturalmente nos hace pensar que nuestra manera de realizar las cosas es "la manera correcta". Tendemos a notar la cultura cuando nos vemos enfrentados a diferencias culturales y nuestra reacción ocurre con frecuencia como una manera de confirmar nuestras propias expectativas e ideas.

Implicaciones clave

Nuestros orígenes culturales personales influyen en cómo pensamos, los valores que tenemos cada uno y las prácticas que utilizamos a fin de fomentar el desarrollo de los niños. Asimismo, nuestras maneras de adquirir la cultura, si nos remontamos a los primeros momentos de nuestra infancia, influyen en cómo conceptualizamos nuestras ideas y conversaciones sobre cultura. Si bien un análisis integral de recursos en este ámbito está fuera del alcance y propósito de este documento, se recomienda que los programas desarrollen e implementen métodos y procesos a largo plazo para que puedan abordar estos temas tan importantes.

VOCES DE LA COMUNIDAD DE HEAD START

En el estado de Florida, un concesionario de Head Start intentó asegurarse de que todos los salones de clases tuvieran maestros bilingües, pero descubrió que esto se convertía en una tarea cada vez más difícil, debido a la necesidad cada vez mayor de tener aulas y hogares de cuidado infantil familiar que fueran culturalmente diversos. Si bien el programa hace años había desarrollado políticas escritas sobre el uso de idiomas, las políticas se centraban principalmente sólo en niños y familias que hablaban inglés y español. Desde entonces, el programa ha visto el crecimiento de múltiples idiomas representados por las familias matriculadas en el programa, las que provienen de distintas regiones de México (por ejemplo, mixteco, huasteco, triqui) y de otros países (por ejemplo, Camboya, Laos). Había cada vez más confusión en el programa con respecto a si era pertinente o no presentar un nuevo idioma cuando los niños pequeños todavía tenían que dominar su idioma principal. Existía más confusión aún en torno al tema de cómo respaldar a los niños que hablaban un idioma para el cual no había nadie en el programa que hablara ese idioma. Asimismo, muchos de los padres, sin poder entender totalmente las repercusiones de lo que significaba perder su idioma principal, expresaban gran interés en que su niños escucharan sólo inglés en el programa Head Start.

A medida que el programa comenzó a buscar a voluntarios y empleados que fueran de las mismas culturas que los niños y que hablaran esos idiomas, las tensiones comenzaron a crecer dentro del programa. Los miembros angloparlantes del personal se dirigieron al administrador del programa porque se sentían incómodos cuando otros empleados hablaban en español u otros idiomas en la sala de descanso del personal. No encontraban que esto fuera necesario fuera del aula.

Los gerentes del programa sabían que debían abordar la situación lo antes posible. Decidieron sostener varios foros con el personal para conversar sobre el valor del bilingüismo y cómo la comunicación en ambos idiomas dentro y fuera del aula establecía una condición de igualdad para ambos grupos.

La gerencia del concesionario decidió entonces invitar a un grupo de consultores expertos a que participaran en un foro y se reunieran en numerosas ocasiones con coordinadores de educación y directores, gerentes del programa y otros empleados clave de diversos medios y orígenes culturales. La convocación a estas reuniones puso en marcha una serie de debates de reflexión basados en la investigación, con respecto a las experiencias que realmente hacían una diferencia real en la vida de aquellos que participaban en el foro. Una de las metas era identificar las prácticas óptimas que apoyarían las necesidades de desarrollo de los niños mientras aprendían su idioma principal y experimentaban su propia cultura, a la vez que se desenvolvían en experiencias educativas multiculturales y en el aprendizaje del idioma inglés. Otra de las metas era expresar una filosofía para todo el programa que incluyera y adoptara la diversidad, y abordara cómo debían usar los adultos su idioma dentro y fuera del salón de clases.

El resultado de las reuniones que se sostuvieron durante un período de 6 meses suscitaron un entendimiento y persuasión de lo que deben incluir las políticas y procedimientos sobre idiomas y principios multiculturales de un concesionario.

El personal del programa trabajó para desarrollar políticas y procedimientos que incluyeran lo siguiente:

1. Una declaración de la filosofía del programa, en la cual se compilaron dentro de una página distintos puntos sobre las creencias del programa con respecto a la adquisición del primer y segundo idioma;

2. puntos detallados sobre pruebas clave de la investigación en torno a la adquisición del primer y segundo idioma, como también sobre el desarrollo de la alfabetización en la primera infancia;

3. puntos de guía para gerentes y directores de los centros con respecto a las prácticas de contratación de empleados;

4. información sobre cómo forjar alianzas y asociaciones entre el programa y los padres de familia a fin de respaldar al máximo el desarrollo de los niños;

5. información sobre la comunicación interpersonal entre los miembros del personal, entre el personal y los padres y en todo el programa, incluyendo una aclaración sobre el uso de idiomas que no sean inglés cuando trabajan con los niños, en todos los sistemas y servicios del programa; y

6. puntos de guía específicos en relación a cómo respalda el programa (a través de personas capacitadas como voluntarios, personal, miembros de la comunidad, etc.) a los maestros y apoya el trabajo del aula cuando existen múltiples idiomas.

Una vez finalizadas en borrador las políticas y los procedimientos revisados, se presentaron ante el Consejo de Políticas de padres y la Junta directiva para su revisión y aprobación. Ambos grupos se mostraron entusiastas acerca del proceso de revisión, formularon muchas preguntas y prestaron total apoyo al trabajo realizado.

Preguntas y actividades de reflexión

1. Cuando su programa imparte capacitación antes del servicio y durante el servicio, ¿cómo logra dicha capacitación abordar y proporcionar oportunidades e información para el personal de modo que éste desarrolle sus aptitudes para examinar y desafiar los prejuicios institucionales y personales?

2. Piense en cuál sería su respuesta si una madre o un padre del programa se acerca a usted para decirle que:

   - Su hijo de tres meses de edad está listo para que lo entrenen para ir al baño,

   - no se le debería animar a su hijo de un año para que comience a caminar;

   - las maestras son las que deben alimentar a su niño de dos años;

   - su hijo de tres años bebe usando el biberón,

   - su hijo de cuatro años diariamente debe usar libros para colorear; o

   - su niño de cinco años no debe "perder el tiempo" participando en juegos imaginarios.

   ¿Cómo pueden influir las respuestas que usted dé en la relación y comunicación que tiene con la familia? ¿Cómo puede influir su respuesta en el trabajo que realice en el futuro con el niño?

3. ¿Incorpora su programa prácticas de supervisión, de modo que el personal pueda tener oportunidades para reflexionar con respecto a la labor que desempeña para incluir a las familias en los sistemas y servicios de Head Start?

PRINCIPIO 10:

Todos los sistemas y servicios incorporan programación y prácticas culturalmente pertinentes y diversas y son beneficiosas para todos los adultos y niños.

Puntos destacados de los *Principios multiculturales* originales (1991)

- Para lograr las metas de Head Start y maximizar el desarrollo del niño y de la familia, estos principios no se deben limitar al componente de educación, sino que deben ser aplicados a todos los aspectos del programa.

Si bien el programa Head Start ya no usa el término componentes para referirse a los servicios del programa, es esencial suplir la necesidad de difundir información y lograr la aceptación de estos Principios de parte del personal, de padres de familia y de socios comunitarios del programa.

La información relativa a la relevancia cultural y al desarrollo de dos o más idiomas es muy compleja y las implicaciones en la práctica varían según las condiciones específicas de cada programa (por ejemplo, los empleados son angloparlantes monolingües, los empleados son bilingües). Sin embargo, la complejidad del contenido de la información exige que los programas Head Start analicen más detalladamente sus propias prácticas y procesos internos a través de: la autoevaluación, el estudio de la comunidad, las evaluaciones funcionales de los niños, los servicios de salud y de gobierno, las asociaciones con las familias, el currículo individualizado y los entornos eficaces de aprendizaje, entre otros elementos del programa. Una de las tareas principales para los programas será conectar la información sobre cultura y desarrollo de dos idiomas con los sistemas y servicios de Head Start.

Claramente la responsabilidad directiva a nivel de administración, sin lugar a dudas, es esencial para el desarrollo de sistemas y servicios que aborden la relevancia cultural y el desarrollo de dos idiomas. Entre los ejemplos de aspectos específicos de responsabilidad directiva se encuentran los siguientes: iniciación del proyecto, recopilación de información—es decir, evaluación interna actual de la organización, planificación, comunicación, desarrollo de oportunidades de capacitación y de planes de capacitación y asistencia técnica (T/TA), creación de políticas escritas, incluidas las políticas para la contratación de personal y facultad presupuestaria.

En la publicación *Neurons to Neighborhoods*, the National Research Council and Institute of Medicine (2000) presentaron elementos clave de un sistema de servicios culturalmente competente, entre ellos:

1. Controlar los procedimientos e instrumentos de evaluación a fin de garantizar pertinencia y validez;

2. identificar a grupos subatendidos y eliminar las barreras culturales que interfieren con la prestación de servicios;

3. organizar la planificación, la capacitación del personal y la participación de la comunidad a fin de brindar servicios que sean culturalmente competentes;

4. definir la ubicación, el tamaño, las características, los recursos y las necesidades de los grupos demográficos culturalmente diversos dentro del área de servicio.

5. formar habilidades de comunicación transcultural.

6. ayudar a las comunidades que son diversas a que se organicen para mejorar la disponibilidad y utilización de servicios que les son necesarios.

Además, los autores recomiendan que la familia, definida según la perspectiva cultural de la población beneficiaria, sea el foco de la prestación de servicios.

En los *Principios multiculturales* originales, se recomendaba que los directores de Head Start programaran ocasiones para "analizar y discutir estos principios con todos los coordinadores de los componentes como grupo" (Administración para Niños, Jóvenes y Familias, 1991. p. 3). En esta versión actualizada, nuestra sugerencia es que los directores de Head Start y sus equipos de gerencia, entre ellos padres y socios comunitarios, elaboren planes y procesos a corto y largo plazo para analizar de qué manera:

1. Influyen la(s) cultura(s) y los idiomas (tanto el inglés como los idiomas del hogar de las familias) en la vida de los empleados del programa;

2. influyen la(s) cultura(s) y los idiomas (tanto el inglés como el idioma del hogar) en la vida de los niños y las familias.

3. las actitudes, los valores y las creencias son inherentes a la cultura y están moldeados por nuestras conductas y prácticas de enseñanza;

4. se pueden respetar y respaldar abiertamente las culturas y los distintos idiomas del hogar;

5. se pueden integrar las reflexiones sobre temas culturales a las prácticas diarias en el salón de clases;

6. se pueden integrar las reflexiones sobre temas culturales a los acuerdos de asociación con la familia y a las prácticas de servicios familiares.

VOCES DE LA COMUNIDAD DE HEAD START

Un programa de Nueva York preparó cuatro viñetas que describen su trabajo en todos los sistemas y áreas de servicios.

Para fomentar la diversidad que existe en las familias a quienes brindamos servicios en nuestro programa, sabíamos que teníamos que llegar a nuestra comunidad. Nuestro programa planificó una feria de recursos en la comunidad. Sostuvimos una reunión con muchos empleados para generar ideas antes de llevar a cabo el evento para poder centrarnos realmente en nuestras metas y en nuestras labores de extensión comunitaria. Nos conectamos con las universidades locales y comunitarias y organismos de servicios médicos y de salud locales. A través de nuestra feria de recursos, comenzamos una alianza con una universidad comunitaria. Vinieron estudiantes a nuestro programa y ayudaron con las pruebas diagnósticas para la detección de problemas de salud. Muchos de nuestros socios nuevos hablaban los idiomas de las familias.

Nuestro programa necesitaba estimular las actividades de alfabetización familiar en el centro. Fui a la biblioteca de la comunidad para averiguar qué tipo de servicios de extensión comunitaria ofrecía la biblioteca. Durante esa visita, pude establecer un punto de donación de libros usados para nuestro programa, planifiqué un horario para leer cuentos, y les di a las familias los horarios mensuales que tenía programados la biblioteca dentro de sus actividades. También averiguamos que podíamos sostener una reunión con los padres de familia en la biblioteca y, a la vez, las familias tendrían la oportunidad de ir a recorrer la biblioteca y averiguar sobre los servicios que ofrecen. Cada familia recibió una tarjeta de biblioteca y algunos hasta se sorprendieron acerca de la cantidad de libros que podían sacar prestados. La biblioteca no tenía libros en todos los idiomas del hogar que necesitaban las familias de nuestro programa, pero después de asistir a algunas reuniones y averiguar sobre las necesidades de nuestra comunidad, la biblioteca finalmente hizo pedidos de libros en muchos de los idiomas del hogar de las familias.

Para hacer que todas las familias se sintieran bienvenidas, nuestro programa formó un equipo que tendría la función de evaluar qué cosas se podían hacer para permitir una mayor inclusión de las diversas familias de nuestro centro. El equipo estaba formado por miembros del personal, padres de familia y voluntarios de la comunidad. El equipo examinó el edificio, los salones de clases y los menús, entre otras cosas. Algunos de los cambios que se incluyeron fueron agregar un tapete de bienvenida en distintos idiomas a la entrada de nuestro centro, asegurarse de que los documentos que se ofrecen en la recepción estuvieran traducidos a múltiples idiomas y proporcionar té de menta, té de jengibre y diversos tipos de pastelitos durante nuestras reuniones de padres. También trabajamos con las escuelas públicas locales para obtener servicios de traducción.

Con los años, nuestro programa evolucionó de ser un programa que tal vez tenía dos o tres idiomas hablados en los hogares para convertirse en un programa con más de veinte idiomas. Queríamos asegurarnos de que nuestro personal pudiera incorporar toda la diversidad y las diferencias culturales del programa, de modo que comenzamos por impartir capacitación sobre sensibilidad cultural. Cuando se analizan los prejuicios culturales que uno mismo tiene y se conversa sobre inquietudes o aspectos que nos hacen sentir incómodos, comenzamos a entender las verdaderas necesidades de nuestro programa. Estas estrategias también pueden conectarse al desarrollo profesional de todo el personal.

Preguntas y actividades de reflexión

A fin de apoyar el trabajo en torno al tema de la cultura y los idiomas del hogar en los programas Head Start, se ha creado la siguiente lista de preguntas como guía para los equipos de gerencia y administración del programa:

1. **¿Evalúan ustedes la situación actual de su programa con respecto a la receptividad cultural y la adquisición de dos idiomas?**

   - *Preguntas*: ¿Qué conocimientos tiene el personal del programa con respecto a grupos culturales? ¿Cuál es el nivel de consciencia del personal a distintos niveles dentro de la organización? ¿Tiene su programa políticas escritas que abordan la relevancia cultural y el idioma del hogar y/o es necesario revisar estas políticas? ¿Cómo demuestran visiblemente los sistemas, los servicios y las prácticas su percepción y conocimientos?

2. **¿Han creado planes para el próximo año programático que se amplíen o se proyectan de acuerdo a las prácticas, políticas y/o sistemas actuales?**

   - *Preguntas*: ¿Cómo aborda su programa los temas relacionados con la relevancia cultural y el idioma del hogar durante el proceso de autoevaluación?

¿Cuáles son los puntos fuertes de su programa en estas áreas? ¿Qué han hecho para abordar los estereotipos y los prejuicios? ¿Cuáles son algunos de los "próximos pasos"?

3. **¿Representa el grupo administrativo del programa a la población a quienes brinda servicios? ¿Se proporciona desarrollo profesional a los directivos del programa sobre temas relativos a la cultura y a los idiomas del hogar?**

   - *Preguntas*: ¿De qué manera organiza su programa el manejo de temas sobre relevancia cultural e idioma del hogar? ¿Cuenta con comités o grupos de trabajo formales en este ámbito? ¿O tienden estos esfuerzos a ser el trabajo de una sola persona? ¿Con qué sistemas de apoyo administrativo cuenta para el trabajo continuo en torno a estos temas?

4. **¿Tienen claro usted (y su personal) cuáles son las metas a largo plazo del programa?**

   - *Preguntas*: ¿Tiene su programa metas por escrito sobre cómo trabajar sobre asuntos relacionados con la relevancia cultural y el idioma del hogar que se difunden o se dan a conocer en forma generalizada en su organización? ¿Abordan estas metas la gama de asuntos identificados en el párrafo anterior? ¿Con qué frecuencia se examinan y/o se revisan estas metas? ¿Reflejan sus planes de capacitación y asistencia técnica estas metas? ¿Encuentra el programa formas de celebrar y dar reconocimiento al progreso logrado en el trabajo en torno a estos temas?

5. **¿Han identificado objetivos a corto plazo que sean tangibles?**

    - *Preguntas*: ¿Cuenta su programa con objetivos específicos a corto plazo por escrito para trabajar sobre asuntos relacionados con la relevancia cultural y el idioma del hogar que se difunden o se dan a conocer en forma generalizada en su organización? ¿Cómo se controla y se evalúa el trabajo en relación a estos objetivos? ¿Encuentra su programa formas de celebrar y dar reconocimiento al progreso logrado en el trabajo en torno a estos temas?

ANEXO A

Definiciones de cultura

"El conjunto de prácticas organizadas y comunes de comunidades en particular".
   Rogoff, B. (1990). *Apprenticeship in thinking*. Nueva York: Oxford University Press.
   p. 110.

"Un instrumento que usan las personas cuando luchan por sobrevivir dentro de un grupo social".
   de Melendez, W. R., y Ostertag, V. (1997). *Teaching young children in multicultural classrooms*. Albany: Delmar Publishers. p. 45.

"El todo complejo que incluye los conocimientos, las creencias, el arte, la moral, las costumbres y otras aptitudes y hábitos adquiridos por el hombre como parte de la sociedad".
   Altarriba, J. (1993). The influence of culture on cognitive processes. En *Cognition and culture: A cross-cultural approach to cognitive psychology*, ed. J. Altarriba, 379-384. Amsterdam: North-Holland. p. 379.

"Una organización compartida de ideas que incluye las normas intelectuales, morales y estéticas que prevalecen en una comunidad y el significado de las acciones comunicativas".
   Lubeck, S. (1994). The politics of DAP. En *Diversity and developmentally appropriate practices: Challenges for early childhood education*, ed. B. L. Mallory and R. S. New, 17-43. Nueva York: Teachers College Press. p. 21.

"Un marco que guía y vincula ata las prácticas de la vida".
   Hanson, M. J. (1992). Ethnic, cultural, and language diversity in intervention settings. En *Developing cross-cultural competence*, ed. E. W. Lynch and M. J. Hanson, 3-18. Baltimore, MD: Paul H. Brookes. p. 3.

"El entendimiento común, así como las costumbres y los artefactos del público que expresan este entendimiento".
   Strauss, C., y Quinn, N. (1992). Preliminaries to a theory of culture acquisition. En *Cognition: Conceptual and methodological issues*, ed. H. L. Pick, Jr., P. van den Brock, and D. C. Knill, 267-294. Washington, D.C.: American Psychological Association. p. 267.

"Los procesos complejos de la interacción social y la comunicación simbólica humanas".
  Hernandez (1989), citado en de Melendez, et al. (1997). *Teaching young children in multicultural classrooms.* Albany: Delmar Publishers. p. 45.

"Todo lo que hacen las personas".
  Freire (1970), citado en de Melendez, et al. (1997). *Teaching young children in multicultural classrooms.* Albany: Delmar Publishers. p. 45.

"Los patrones, explícitos e implícitos, de y para la conducta adquirida y transmitida por símbolos, que constituyen el logro característico de los grupos humanos, incluidas sus personificaciones en los artefactos".
  Laboratory of Comparative Human Cognition, (1982). En Leung, B. P. (1994). Culture as a contextual variable in the study of differential minority student achievement. *Journal of Educational Issues of Language Minority Students.* 13, 95–105. http://www.ncela.gwu.edu/files/rcd/BE019743/Culture_as_a_Contextual.pdf

"Un conjunto de actividades a través de las cuales distintos grupos producen recuerdos, conocimientos, vínculos sociales y valores colectivos dentro de relaciones de poder históricamente controladas".
  Giroux, H. A. (Ed.). (1991). *Postmodernism, feminism and cultural politics: Redrawing educational boundaries.* Albany: State University of New York Press. p. 50.

"Las formas y modos que usan las personas para ver, percibir, representar, interpretar y asignar valor y significado a la realidad que viven o que experimentan".
  de Melendez, W. R., y Ostertag, V. (1997). *Teaching young children in multicultural classrooms.* Albany: Delmar Publishers. p. 45.

"No tanto la materia de un sistema inerte dentro del cual funcionan las personas, sino más bien una construcción histórica realizada por las personas, que se encuentra en constante cambio".
  Henry Glassie. (1992). Citado en Ovando, C. J., y Collier, V. P. (1998). *Bilingual and ESL classrooms: Teaching in multicultural contexts.* 2ª ed. Boston: McGraw-Hill. p. 135.

ANEXO B

Versión original de los Principios multiculturales para los programas Head Start (1991)

1. Cada persona está arraigada en la cultura.

2. Los grupos culturales que están representados en las comunidades y en las familias de cada programa Head Start constituyen las fuentes principales de información para efectuar una programación culturalmente pertinente.

3. La programación culturalmente pertinente y diversa requiere el aprendizaje de información correcta con respecto a la cultura de los distintos grupos y la eliminación de los estereotipos.

4. Abordar la relevancia cultural para hacer elecciones sobre el currículo es una práctica necesaria y apropiada al desarrollo.

5. Cada persona tiene el derecho de mantener su propia identidad mientras adquiere las habilidades que se requieren para funcionar en nuestra diversa sociedad.

6. Los programas eficaces para los niños con capacidad limitada para hablar inglés requieren el desarrollo continuo del primer idioma mientras se facilita la adquisición del inglés.

7. La programación culturalmente pertinente requiere de personal que refleje a la comunidad y a las familias a quienes se brinda servicios.

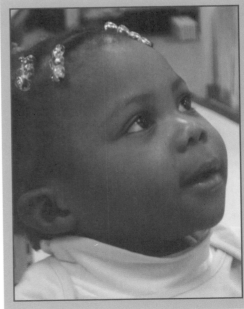

8. La programación multicultural para los niños le permite desarrollar una consciencia, un respeto y una apreciación por las diferencias culturales individuales. Es beneficioso para todos los niños.

9. La programación culturalmente pertinente y diversa examina y desafía los prejuicios institucionales y personales.

10. La programación y las prácticas culturalmente pertinentes y diversas se incorporan en todos los componentes y servicios.

Referencias bibliográficas

Administración para Niños, Jóvenes y Familias. Office of Head Start. 2009. *El aprendizaje en dos idiomas. ¿Qué hace falta? Informe sobre el aprendizaje en dos idiomas.* Washington, DC.

Administration for Children, Youth, and Families. (1991). *Information Memorandum: Multicultural Principles for Head Start Programs. Núm. ACYL-IM-91-03.* Administración para Niños, Jóvenes y Familias, Departamento de Salud y Servicios Humanos de los Estados Unidos.

Altarriba, J. (1993). The influence of culture on cognitive processes. En *Cognition and culture: A cross-cultural approach to cognitive psychology,* ed. J. Altarriba. Amsterdam: North-Holland. p. 379–384

Bialystok, E. (2001). *Bilingualism in development: Language, literacy, and cognition.* Cambridge, Inglaterra: Cambridge University Press.

Bredekamp, S., y Copple, C. (2009). *Developmentally appropriate practice in early childhood programs serving children from birth through age 8.* 3ª ed. Washington, D.C.: National Association for the Education of Young Children.

Bronson, M. B. (1995). *The Right Stuff for Children Birth to 8: Selecting Play Materials to Support Development.* Washington, D.C.: National Association for the Education of Young Children.

Caplan, N., Choy, M. H., y Whitmore, J. K. (1992). Indochinese refugee families and academic achievement. *Scientific American,* 266, 36–42.

Chavejay, P., y Rogoff, B. (1999). Cultural variation in management of attention by children and their caregivers . *Developmental Psychology,* 35, 1079–1090.

Cohen, R. (1978). Ethnicity: Problem and focus in anthropology. *Annual Review of Anthropology,* 7, 379–403.

Collier, V. P. (1995). Acquiring a second language for school. *Directions in Language & Education: National Clearinghouse for Bilingual Education* http://www.ncela.gwu.edu/pubs/directions/04.htm.

de Melendez, W. R., y Ostertag, V. (1997). *Teaching young children in multicultural classrooms.* Albany, NY: Delmar Publishers.

Derman-Sparks, L. (1989). *Anti-bias curriculum: Tools for empowering young children.* Washington, D.C.: National Association for the Education of Young Children.

Derman-Sparks, L. (1995). How well are we nurturing racial and ethnic diversity? En *Rethinking schools: An agenda for change*, ed. D. Levine, R. Lowe, B. Peterson, and R. Tenorio. Nueva York: New Press. p. 17-22.

Freeman, Y. S. y Freeman, D. E. (1992). *Whole language for second language learners.* Portsmouth, NH: Heinmann.

Garcia-Preto, N. (2005). Puerto Rican families. En M. McGoldrick, J. Giordano, y N. Garcia-Preto (Eds), *Ethnicity and family therapy.* 3ª ed. Nueva York: Guilford Press. p. 242–255.

Gay, G. (2000). *Culturally responsive teaching: Theory, research, and practice.* Nueva York: Teacher's College.

Genesee, F., J. Paradis, & M. B. Crago. (2004). *Dual Language Develpment and Disorders.* Baltimore, MD: Paul H. Brookes.

Gestwicki, D. (1995). *Developmentally appropriate practice: Curriculum and development in early education.* Albany, NY: Delmar Publishers.

Giroux, H. A. (Ed.). (1991). *Postmodernism, feminism and cultural politics: Redrawing educational boundaries.* Albany: State University of New York Press.

Gonzalez-Mena, J. (1992). Taking a culturally sensitive approach in infant–toddler programs. *Young Children, 47,* 4–9.

Gonzalez-Mena, J. (1995). Cultural sensitivity in routine caregiving tasks. En P. Mangione (Ed.), *Infant/toddler caregiving: A guide to culturally sensitive care*, ed. P. Mangione.Sacramento, CA: Far West Laboratory y California Department of Education. p. 12-19.

Gonzalez-Mena, J. (2001). *Foundations: Early childhood education in a diverse society.* Mountain View, CA: Mayfield.

Gonzalez-Mena, J. (2008). *Diversity in early care and education: Honoring differences.* 5a ed. Washington, D.C.: National Association for the Education of Young Children.

Halgunseth, L., Ispa, J., Csizmadia, A., y Thornburg, K. (2005). Relations among maternal racial identity, maternal parenting behavior, and child outcomes in low-income, urban, Black families. *Journal of Black Psychology,* 31, 418–440.

Hanson, M. J., y Lynch, E. W. (1992). *Developing cross-cultural competence.* Baltimore, MD: Paul H. Brookes.

Harry, B., y Kalyanpur, M. (1994). Cultural underpinnings of special education: Implications for professional interactions with culturally diverse families. *Disability & Society, 9,* 145–165.

Hart, B., y Risley, T. R. (1995). *Meaningful differences in the everyday experience of young American children.* Baltimore, MD: Paul H. Brookes.

Hart, B., y Risley, T. (1999). *The social world of children learning to talk.* Baltimore, MD: Paul H. Brookes.

Jackson, J., R. Taylor, y L. Chatters (1997). *Family life in Black America.* Thousand Oaks, CA: Sage Publications.

Keefe, S. E., Padilla, A. M. (1987). *Chicano ethnicity*. Albuquerque: University of New Mexico Press.

Leung, B. P. (1994). Culture as a contextual variable in the study of differential minority student achievement. *The Journal of Educational Issues of Language Minority Students*, 13, 95–105.

Lipson, J. G., y Dibble, S. L. (2005). *Culture and clinical care*. Berkeley: University of California Press.

Lubeck, S. (1994). The politics of DAP. *Diversity and developmentally appropriate practices: Challenges for early childhood education*, ed. B. L. Mallory and R. S. New, 17-43. Nueva York: Teachers College Press.

Miller, J. F., Heilmann, J., Nockerts, A., Iglesias, A., Fabiano, L., y Francis, D. J. (2006). Oral language and reading in bilingual children. *Learning Disabilities Research and Practice*, 21, 30–43.

Moore-Hines, P., y Boyd-Franklin, N. (2003). African American families. En *Ethnicity and family therapy*, ed. M. McGoldrick, J. Giordano, and N. Garcia-Preto. Nueva York: Guildford Press. p. 87–100.

National Association for the Education of Young Children. (1996). *Responding to linguistic and cultural diversity: Recommendations for effective early childhood education*. Washington, DC: Author.

National Research Council and Institute of Medicine, ed. M. McGoldrick, J. Giordano, and N. Garcia-Preto, (2000). *From neurons to neighborhoods: The science of early childhood development*. Washington, D.C.: National Academies Press.

Oller, D. K., Eilers, R. E., Urbano, R., y Cobo-Lewis, A. B. (1997). Development of precursors to speech in infants exposed to two languages. *Journal of Child Language*, *24*, 407–425.

Ovando, C. J., y Collier, V. P. (1998). *Bilingual and ESL classrooms: Teaching in multicultural contexts*. 2a ed. Boston: McGraw-Hill.

Phillips, C. B. (1995). Culture: A process that empowers. En P. Mangione (Ed.), Infant/toddler caregiving: A guide to culturally sensitive care. Sacramento, CA: Far West Laboratory y California Department of Education. p. 2–9.

Petito, L. A., Katerelos, M., Levy, B. G., Gauna, K., Tetreault, K., y Ferraro, V. (2001). Bilingual signed and spoken language acquisition from birth: Implications for the mechanisms underlying early bilingual language acquisition. *Journal of Child Language*, *28*, 453–496.

Rogoff, B. (1990). *Apprenticeship in thinking: Cognitive development in social context*. Cambridge, Inglaterra: Cambridge University Press.

Rogoff, B. (2003). *The cultural nature of human development*. Nueva York: Oxford University Press.

Rogoff, B., y Mosier, C. E. (2003). Privileged treatment of toddlers: Cultural aspects of individual choice and responsibility. *Developmental Psychology*, 39, 1047–1060.

Rodríguez, J. L., Díaz, R. M., Durán, D., y Espinosa, L. (1995). The impact of bilingual preschool education on the language development of Spanish-speaking children. *Early Childhood Research Quarterly*, 10, 475–490.

Small, M. F. (1998). *Our babies, ourselves: How biology and culture shape the way we parent.* Nueva York: Anchor.

Snow, C. E., M. S. Burns, y Griffin, P. (1998). *Preventing reading difficulties in young children.* Washington, D.C.: National Academies Press.

Strauss, C., y Quinn, N. (1992). Preliminaries to a theory of culture acquisition. En *Cognition: Conceptual and methodological issues,* ed. H. L. Pick, Jr., P. van den Brock, and D. C. Knill. Washington, D.C.: American Psychological Association. p. 267–294.

Sue, D. W. (1998). *Multicultural counseling competencies: Individual and organizational.* Thousand Oaks, CA: Sage Publishers.

Tudge, J. y Putnam, S. E. (1997). The everyday experiences of North American preschoolers in two cultural communities: A cross-disciplinary and cross-level analysis. En *Comparisons in human development: Understanding time and context,* ed. J. Tudge, M. J. Shanahan, and J. Valsiner. Nueva York: Cambridge University Press.
p. 253–281.

Valsiner, J. (1997). *Culture and the development of children's action: A theory of human development.* Nueva York: Wiley.

Vega, W. A., y Rumbart, R. G. (1991). Ethnic minorities and mental health. *Annual Review of Sociology, 17,* 351–383.

Vermeersch, E. (1977). *An analysis of the concept of culture.* En *The concept and dynamics of culture,* ed. B. Bernardi, 9-73 The Hague, The Netherlands: Mouton.

Winsler, A., Díaz, R. M., Espinosa, L., y Rodríguez, J. (1999). When learning a second language does not mean losing the first: Bilingual language development in low-income, Spanish-speaking children attending bilingual preschool. *Child Development, 70,* 349–262.

Recursos adicionales

Las siguientes referencias bibliográficas fueron útiles en la preparación de este documento.

Bhavnagri, N. P., y Gonzalez-Mena, J. (1997). The cultural context of infant caregiving. *Childhood Education*, 74, 2–8.

Blount, B. G., y Schwanfenflugel, P. (1993). Cultural bases of folk classification systems. En *Cognition and culture: A cross-cultural approach to cognitive psychology*, ed. J. Altarriba. Amsterdam: North-Holland. p. 3–22.

Bowman, B. T. y Scott, F. M. (1994). Understanding development in a cultural context: The challenge for teachers. En *Diversity and developmentally appropriate practices: Challenges for early childhood*, ed. B. Mallory & R. New. Nueva York: Teacher's College Press. p. 199–133.

Bredekamp, S. (1987). *Developmentally appropriate practice in early childhood programs serving children from birth through age 8*. Washington, D.C.: National Association for the Education of Young Children.

Bredekamp, S., y Rosegrant, T. (1992). *Reaching potentials: Appropriate curriculum and assessment for young children*. Washington, D.C.: National Association for the Education of Young Children.

Bredekamp, S., y Rosegrant, T. (1995). *Reaching potentials: Transforming early childhood curriculum and assessment*. Washington, D.C.: National Association for the Education of Young Children.

Bredekamp, S., y Copple, C. (1997). *Developmentally appropriate practice in early childhood programs serving children from birth through age 8*. 2ª ed. Washington, D.C.: National Association for the Education of Young Children.

Collier, V. P. (1988). The effect of age on acquisition of a second language for school. *NCBE FOCUS: Occasional Papers in Bilingual Education*. Número 2. Invierno de 1987/1988. Disponible en Internet: http://www.ncela.gwu.edu/pubs/classics/focus/02aage.htm

Epstein, A. S. (2007). *The intentional teacher: Choosing the best strategies for young children's learning*. Washington, D.C.: National Association for the Education of Young Children.

Fueyo, V. (1997). Below the tip of the iceberg: Teaching language minority students. *Young Exceptional Children*, 2, 61–65.

Gonzalez-Mena, J. (1993). *The child in the family and the community*. Nueva York: Macmillan Publishing.

Harry, B. (1992). *Cultural diversity, families and the special education system: Communication and empowerment*. Nueva York: Teachers College Press.

Harwood, R. L., Miller, J. G., y Irizarry, N. L. (1995). *Culture and attachment: Perceptions of the child in context*. Nueva York: Guilford Press.

Heath, S. B. (1983). *Ways with words: Language, life, and work in communities and classrooms*. Nueva York: Cambridge University Press.

Mallory, B. L., y New, R. S. (1994). *Diversity and developmentally appropriate practices: Challenges for early childhood education.* Nueva York: Teachers College Press.

McCathren, R. B., y Watson, A. L. (1999). Facilitating the development of intentional communication. *Young Exceptional Children,* 3, 12–19.

Meadows, S. (1996). *Parenting behaviour and children's cognitive development.* Bristol, Inglaterra: Psychology Press.

Paul, R., y Shiffer, M. (1991). Communicative initiations in normal and late-talking toddlers. *Applied Psycholinguistics, 12,* 419–431.

Riojas-Cortez, M. (2000). It's all about talking: Oral language development in bilingual classrooms. *Dimensions of Early Childhood,* 29, p. 11–15.

Riojas-Cortez, M. (2000). Mexican American children create stories: Sociodramatic play in a dual language kindergarten classroom. *Bilingual Research Journal, 24.* Disponible en Internet: http://brj.asu.edu/v243/articles/art6.html

Saracho, O. N., y Hancock, F. M. (1983). Mexican-American culture. En *Understanding the multicultural experience in early childhood education,* ed. O. N. Saracho and B. Spodek, 3-15. Washington, D.C.: National Association for the Education of Young Children.

Siegler, R. S. (1998). *Children's thinking.* 3a. ed. Upper Saddle River, NJ: Prentice Hall.

Wertsch, J. V. (1991). *Voices of the mind: A sociocultural approach to mediated action.* Cambridge, MA: Harvard University Press.

Preface

In 1991, the Head Start Bureau published the *Multicultural Principles for Head Start Programs* information memorandum and resource handbook (hereafter referred to as the *Multicultural Principles*) following two years of work by the Head Start Multicultural Task Force. Its purpose was to "stand as a challenge" to programs to "focus efforts on individualizing services so that every child and family feels respected and valued and is able to grow in accepting and appreciating difference" (Administration for Children, Youth, and Families 1991, 3). The memorandum presented this challenge to programs:

> Effective Head Start programming requires understanding, respect, and responsiveness to the cultures of all people, but particularly to those of enrolled children and families. (Administration for Children, Youth, and Families 1991, 5)

This statement implies that Head Start programs are effective when their systems and services reflect well-developed understandings of the cultures of enrolled families. Furthermore, individual staff members must be able to demonstrate their respect for, and respond to, all of the different cultures within their service area. The *Multicultural Principles* also recognized that program staff and administrators are rooted in their own cultures. *Culture* is, therefore, a fundamental feature of Head Start program systems and services.

Introduction

> The cultural, racial, and ethnic composition of the Head Start
> community is becoming increasingly diverse as Head Start reflects the
> demographic changes in America. (Administration for Children,
> Youth, and Families 1991, 7)

In the twenty-first century, the demographic changes referred to in the 1991 informa-tion memorandum have continued to increase dramatically. Many Head Start and Early Head Start programs are faced with service areas that are more racially, ethnically, culturally, and linguistically diverse than ever before. In addition, since 1991 a wide range of research—both in the United States and in other countries—has explored the relationships between culture, language, and children's development. This research overwhelmingly reaffirms the value of the *Multicultural Principles* that were originally published. In a time of increasing cultural and linguistic diversity within communities, it is especially important that Head Start programs develop long-range plans to understand and incorporate key implications of the research into their systems and service delivery.

This document has two main goals: first, to present all Head Start programs (which include Head Start, Early Head Start, American Indian and Alaska Native Head Start, and Migrant and Seasonal Head Start) with an updated version of the *Multicultural Principles*; and second, to provide a selective review of research conducted since the *Multicultural Principles* were first published in 1991. There are a variety of reasons for revisiting and updating the original resource handbook, including:

- Since 1991, the *Head Start Program Performance Standards* have been revised and the Early Head Start program has been created and then expanded.

- The research literature addressing cultural influences on development and first- and second-language acquisition has expanded enormously.

- The Improving Head Start for School Readiness Act was signed into law by President George W. Bush on December 12, 2007. The Act specified, among other requirements, that Head Start agencies "assist children with progress towards acquisition of English while making meaningful progress in attaining the knowledge, skills and abilities and development across the domains of the child outcomes framework, including progress made though the use of culturally and linguistically appropriate instructional services." Furthermore, the Act called for improving educational outreach, increasing enrollment, and improving quality of services to children and families, particularly in communities that have experienced a large increase in speakers of languages other than English. It also called for improving service delivery to children and families "in whose homes English is not the language customarily spoken." With regard to the current *Head Start Program Performance Standards*, the Act required that "any revisions will not result in the elimination or any reduction in quality, scope, or types of [services]" (Improving Head Start for School Readiness Act of 2007, Public Law 110-134, sec. 640).

- Head Start has a long history of serving linguistically diverse populations. More than 140 languages are spoken by Head Start children and families. Almost 3 in 10 children entering Head Start speak a home language other than English. Those numbers have been growing in recent years. As of this writing, only 14 percent of Head Start programs nationwide serve exclusively English-speaking children. Put another way, almost 9 out of every 10 Head Start programs enroll children from families that speak languages other than English.

- The 1991 information memorandum indicated that knowledge of culture and home languages was essential to providing effective Head Start services. This requirement is more important than ever. Programs today need to understand clearly the *implications* of the current research as well as extend their services through thoughtful *applications*.

Organization of this Document

This document revisits the original *Multicultural Principles*. The text is organized around each of the 10 Principles, which may be worded slightly differently than the original. In some instances, the language of certain Principles was revised to reflect current usage (e.g., the term *components* was replaced with the term *services*) and/or to be consistent with current legislation. Appendix B provides the original 1991 text of the *Multicultural Principles*.

This document revisits each Principle, following a general format that includes:

- the **Highlights** of the original *Multicultural Principles*;

- a selective **Research Review** that may include one or more "key implications";

- a **Voices from the Head Start Community** section presenting one or more examples of actual policies and/or practices from Head Start, Early Head Start, American Indian and Alaska Native or Migrant and Seasonal Head Start programs; and

- one or more **Reflective Questions/Activities** for programs to consider.

You will find that some sections of this document are longer and more detailed than others.

How to Use this Document

Programs are encouraged to use this document in ways that are appropriate for their own local community. Given the significant differences at the local level, no one-size-fits-all approach is presented. Nevertheless, it is important to recognize that the *Multicultural Principles* themselves apply to all Head Start programs and program options.

It is important to note that the Voices from the Head Start Community sections were included to present specific examples of systems, policies, and/or services from actual programs. These examples are in no way representative of all program options or all relevant practices.

Finally, it is worth noting that discussions of culture and home language can be experienced in many different ways, ranging from fun and uplifting to threatening and uncomfortable. As the original *Multicultural Principles* stated:

> In many instances, implementation of these principles will require leadership, courage, change, risk-taking, training, and resources.
> (p. 23)

The numerous Reflective Questions/Activities were intended to provide programs with the opportunity to "take the risk" of addressing culture and home language as they begin planning their program services. Although there is no guarantee that every discussion about culture and home language will be enjoyable, thoughtful presentation of the information, along with skilled facilitation, can go a long way to building "buy-in" among staff.

Terminology and Definitions

> In defining culture, it is not altogether surprising to find that the
> definitions for culture are as varied as the number of investigators,
> mostly anthropologists, defining it. (Leung 1994, 96)

Defining the term *culture* is challenging. In 1952, a team of researchers reviewed the
literature and identified 160 different definitions of the term (Vermeersch 1977). Since
then, the number of definitions has continued to increase. Not surprisingly, Head Start
staff who wish to learn more about culture can easily encounter many different versions
of the term.

A variety of definitions of culture are provided in the chart on the next page. The
purpose of providing these definitions is to invite Head Start program staff to review
and discuss the various definitions of the term as a framework for further discussions.
An activity and sample handout for reflective thinking is included in the Reflective
Questions/Activity section of Principle 1; the sources of the text quoted in the chart
are presented in Appendix A.

Definitions of Culture:

Culture is…

the organized and common practices of particular communities	an instrument people use as they struggle to survive in a social group	the complex whole that includes knowledge, belief, art, morals, custom, and any other capabilities and habits acquired by man as a member of society
a shared organization of ideas that includes the intellectual, moral, and aesthetic standards prevalent in a community and the meaning of communicative actions	a framework that guides and bounds life practices	shared understanding, as well as the public customs and artifacts that embody these understandings
the complex processes of human social interaction and symbolic communication	all that is done by people	patterns, explicit and implicit, of and for behavior acquired and transmitted by symbols, constituting the distinctive achievement of human groups, including their embodiments in artifacts
a set of activities by which different groups produce collective memories, knowledge, social relationships, and values within historically controlled relations of power	the ways and manners people use to see, perceive, represent, interpret, and assign value and meaning to the reality they live or experience	not so much a matter of an inert system in which people operate, but rather a historical construction by people that is always changing

Note. The sources of the text quoted in this chart are listed in Appendix A.

PRINCIPLE 1:

Every individual is rooted in culture.

Highlights from the Original *Multicultural Principles* (1991)

- Culture has an influence on the beliefs and behaviors of everyone.

- Culture is passed from generation to generation.

- Culture is dynamic and changes according to the contemporary environment.

- Home language is a key component of children's identity formation.

- Successful programs respect and incorporate the cultures of children and families.

Research Review

> Culture influences every aspect of human development and is reflected in childrearing beliefs and practices. (National Research Council and Institute of Medicine 2000, 3)

Culture is acquired through the repeated, daily interactions children have with the people around them while growing up. Children acquire cultural knowledge as they develop language, learn concepts, and experience the ways they are cared for by their parents and family members. Children also acquire cultural knowledge from their communities and Head Start experiences.

The acquisition of culture begins at birth and continues throughout the life span. On a daily basis, adults make many decisions and continually model behaviors, such as:

- interacting and communicating in order to establish relationships and bond with their infant (Small 1998);

- responding to specific behaviors from their child, including behaviors that are considered "inappropriate" in that culture (Rogoff & Mosier 2003); and

- planning, implementing, and evaluating the kinds of learning experiences that children have (Tudge & Putnam 1997).

The ways in which adults carry out these activities are rooted in and influenced by their culture(s). As children develop and learn, they are increasingly exposed to information, including facts about their world, as well as social rules and expectations about their behavior. They are encouraged to participate in or initiate some behaviors—and they are discouraged from others. For example, in some cultures, toddlers are encouraged to feed themselves using their fingers; whereas in others, they are fed by their parents. Families communicate their expectations both verbally and nonverbally.

As children develop, they demonstrate increasing levels of cultural knowledge. By the time children are old enough to attend preschool, they will already have cultural knowledge about the rules of their environments. Some of these rules include how to use objects, which behaviors are (or are not) acceptable, and how to relate to older or younger family members.

The influence of cultural activity upon children's development has been described from many different perspectives in the research literature. The following paragraphs provide a sampling of these perspectives.

Rogoff (1990, 2003), Small (1998), and Cohen (1978) have described cultural activity in human societies. Although their descriptions have differed in important ways, each account supports Principle 1—*every individual is rooted in culture*.

Rogoff (1990, 2003) described family interactions and daily routines as the source of children's cultural information. Children are born biologically equipped to be keen observers of their families. They become more involved in the activities of the family as they grow. Of course, a baby's family members have grown up within one or more cultures themselves and have developed their own cultural knowledge.

As a baby develops, he or she is increasingly able to participate in activities as well as influence other family members. As all family activities are situated within the culture (or cultures) of the family, these interactions provide children with an apprenticeship in thinking—a long-term process by which children's individual development is connected to culturally specific ways of thinking, learning, and living.

Small (1998) described children's development as resulting from the combination of biology and cultural influences. For example, language is biologically based—humans around the world are born with the capacity to acquire language. At the same time, our cultural environments provide us with one or more specific languages and rules for communication.

All cultures appear to generate knowledge, rules, values, advice, and expectations for rearing children. Yet the specifics of how to raise children are often different across cultures. Finally, all cultures seem to have the ability to produce narratives—that is, a way of gathering and telling stories. Although the ways of telling stories vary by culture, the practice of having and telling stories appears to be universal.

Cohen (1978) presented a comprehensive analysis of culture. In this view, culture is more than a single aspect of human life—it can be considered on different levels.

At the *universal level*, all humans are essentially the same. For example, all cultures make use of language by combining information into stories. In addition, people everywhere have ways of expressing anger, sadness, or happiness; ways of raising children; and ways of making a living.

At the *group level*, human behaviors are patterned in ways that are shaped from childhood. For example, within the cultural group(s) that raised us, many expectations about "how to act" are transmitted from generation to generation.

At the *family level*, individual families make different decisions about how to live their lives. For example, some people may choose to live as their parents did, whereas others may choose to do things quite differently.

Finally, culture can be viewed at the *individual level*. For example, each individual chooses the extent to which he or she wishes to participate in and pass on the traditions, beliefs, and values of his or her group and family.

Figure 1. Culture Viewed from Four Levels.
Based on text in Cohen, 1978.

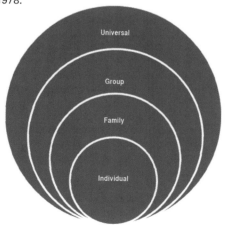

One way to think about culture at the individual level is to consider your siblings. Are you more alike or more different from one or more of them? These differences can exist even when you were raised in the same family and within the same community and cultural group. Therefore, although culture is an important influence on development, knowing someone's cultural group does not necessarily tell us much about the person *as an individual*. Figure 1 depicts the four different levels of culture.

Key Implications

On the basis of the literature reviewed above, culture is real and important, but understanding it is not necessarily simple or easy. Understanding culture, therefore, requires the ability to balance different considerations—different pieces of information—at the same time.

Chavajay and Rogoff (1999) made two important points. First, culture is not a single "thing," but, rather, can be understood on different levels. Second, culture *by itself* does not explain everything about the actions or behaviors of an individual or group of people. Thus, culture is one of many important elements in children's development, but not the only important element. Culture is a way (or ways) of living. In other words, culture is not the only way to explain human development. As the original *Multicultural Principles* noted, culture is "dynamic and evolves and adapts" (p. 11). Individuals are also dynamic—they change and adapt to the circumstances of their lives.

For Head Start programs, it is absolutely necessary to respect and incorporate families' cultures into the systems and services provided. Program management should actively promote the development of a positive cultural and individual identity for all children. In addition, as program staff are also members of cultural groups, programs must find ways to identify and include cultural information from program staff. At the same time, management must also consider the *Head Start Program Performance Standards*. The Voices from the Head Start Community section and Reflective Activity presented next provide initial suggestions for gathering and using cultural information from program staff and enrolled families.

VOICES FROM THE HEAD START COMMUNITY

A program in Minnesota created a Cross-Cultural Team, drawing from among diverse staff members who reflect the diversity of their service area. Members of the team explained the origins of this work as follows:

> In the late 1980s, different immigrant groups began moving into our service area. The first group to arrive was the Hmong, followed by families from Somalia and then many other areas. We had to make a

decision of how to serve these families. *We needed to do more than just translate our forms. . . .* Now, this effort is an integral part of our program related to how we serve the community.

Over the years, the work of the Cross-Cultural Team impacted the program's services and systems. The Team came up with and began to use a basic question to organize their ongoing work in understanding the cultures of the famlies they serve: How do we meet the needs of all our families?

Using this question as an organizing tool, the team members gathered information regarding cultural values and customs from families and diverse staff members. They compiled their findings in different formats. The Team then used the information to plan specific program activities in order to best meet the needs of families and staff. Team members offered the following suggestions to other programs interested in this type of work: (1) take the time to reflect on information gathered; (2) work with community partners who have experience working with the different cultures of the Head Start service area; and (3) develop their own local process.

Over the years, the work of the Cross-Cultural Team has impacted the program's services and systems. Several examples are presented below.

1. *Creating a 24-hour parent communication hotline.* There is an 800 number available to the community in four languages: English, Spanish, Hmong, and Somali. The hotline provides information on daily activities, program information, and upcoming events, as well as registration information. Information is updated weekly.

2. *Organizing international events and festivals.* Different activites involving the families are planned during the program year. These events are organized to inform parents about classroom activities, and to help program staff and parents learn about one another's cultural heritage.

3. *Tape recording parents.* To provide children with authentic models of their home language(s), the program makes tape recordings of parents speaking or reading in their home language. The tapes are then played in the classroom for individual and group readings.

4. *Creating a cross-language phrase book.* This project began as a way to help staff learn to say "hello" to families in their own languages. Over time, the project expanded into a phrase book, which currently includes many commonly used words and phrases in the different languages of the families enrolled. The phrase book enables staff to say a few words to parents in their home language about registration or transportation and to speak with children about a variety of topics, including food and classroom learning experiences.

Team members also emphasized that they continue to develop ways of educating the parents about the program. In the words of one team member: "We have to help parents understand why we do things—why we read daily, why we use rhymes and free play, and have children using playdough." A team member offered this insight into their process:

Final Thought

> We can never learn *everything* about all cultures; but we can demonstrate an interest and willingness to learn from each other.

> —Cross-Cultural Team Member, MN

Reflective Questions/Activities

This section presents four suggestions for reflective thinking: (1) an activity in which program staff explore their own cultural backgrounds (e.g., during preservice or inservice); (2) an activity to help program staff develop an understanding of the cultures of parents and family members; (3) an activity for program staff to identify what culture means to them; and (4) an activity for program staff to consider using a graphic to think about culture in their work. These activities should be considered only as a starting point for discussion and further study; they do not represent a comprehensive approach to the issues.

Reflections for Program Staff: Culture in My Life

1. What do you remember about how you were raised? How might your personal background or upbringing influence your thinking about children's development?

2. What skills and behaviors do parents in your program value in their children? How might their personal backgrounds or other experiences influence their thinking?

3. When do your values and beliefs about children conflict with those of families enrolled in your program? How can you discuss and work with these differences in values and beliefs with families in order to benefit the children?

4. What experiences, values, and/or beliefs do families hold that may come into play when you are in the beginning of establishing relationships with them?

5. What beliefs do families have regarding the "cultures" of the service systems they are familiar with? For example, what do parents say about their experiences with education, health care, and other service areas?

Reflections for Program Staff: Culture in the Lives of Families

1. What cultural groups live within the service area of your program? What do you know about the lifestyle, immigration history, health beliefs, communication style, etc. of each cultural group? What do you know about the different ideas for raising children held within these cultural groups? How did you learn this information?

2. What skills and behaviors do parents in your program value in their children? How might their personal backgrounds or other experiences influence their thinking?

3. What systems or strategies does your program currently have in place to obtain additional information about the cultural groups in your service area? What else could be done to learn about the cultural groups in your service area?

4. In what ways do the systems and services of your program reflect information about the cultural groups in your service area? Have the demographics of your service area changed recently?

Reflective Thinking Activity

Examine the different definitions presented in the Definitions of Culture chart on page 9. Is there other information that you feel is important that has *not* been included in any of the definitions in this chart? What is your own definition of *culture*?

Culture is . . . ?

1. For me, culture is _____

_____

_____

_____

2. Reasons I chose this definition include _____

Culture: What IS It?

1. How might you use this graphic to recall and reflect upon your own cultural experiences as you were growing up?

2. How might you use this graphic to learn from (or to dialogue with) the families in your program?

3. How could you adapt or modify the graphic to better reflect your own view of culture?

Figure 2. Connections to Culture.

PRINCIPLE 2:

The cultural groups represented in the communities and families of each Head Start program are the primary sources for culturally relevant programming.

Highlights from the Original *Multicultural Principles* (1991)

- Families and community groups can provide accurate information.

- Culturally relevant program systems and services enhance children's learning.

- Programs must take into account issues relevant to all cultural groups within their service area.

Research Review

Culture is the context in which children develop. It is also the context in which parents raise their children. Parents use their knowledge of children's development and caregiving—learned from their personal experiences and their cultural communities—to make decisions about their caregiving practices (Rogoff 2003).

One area in which the impact of culture cannot be understated, and in which culturally relevant programming is very important, is health. Decisions about co-sleeping, hygiene, or personal care; when to seek medical care; the types of food children eat and how the food is prepared and served; feeding patterns; causes of illness; taking Medicaid; and the use of home and folks remedies are affected by culture and must be understood by service providers so that effective care and support are given to the family (Lipson & Dibble 2005).

Culture is closely involved in how children develop and learn. Children enrolled in Head Start programs receive cultural information from their parents and their teachers, home visitors, and other Head Start staff, as well as from other members of their community. Programs for young children that do not take into account issues of culture thereby miss important information about the foundations of a child's development. Program staff who study and reflect on the relevance of culture are better able to support effectively children's ongoing learning and development.

Key Implications

Programs that actively embrace learning *from* families provide the most effective support for children's development. They can integrate classroom environments, materials, activities, and other practice, or program services, with a child's knowledge and experience. This "matching" becomes a base from which a child can acquire knowledge of a second culture. The major implication of such support is the need for Head Start programs to learn about the children and families enrolled in their program from the families themselves. It is only then that programs can develop meaningful partnerships with parents in which everyone is working together to ensure that children gain optimal benefits from their Head Start experience.

VOICES FROM THE HEAD START COMMUNITY

Conversation Starters

An Early Head Start program in Virginia has developed a process for learning from families that links the program's long-range goals with specific practices intended to achieve goals for interactions with families. The program's long-range goals include the following:

- understanding the cultures of all families enrolled in the program;

- making all families feel welcome in the classroom; and

- integrating all of the cultures of families with children in the classroom.

To achieve these and other goals, the program has developed a practice it refers to as Conversation Starters. Through this practice, the teachers find specific and consistent ways to approach parents as they enroll their children in the program. Conversation Starters is aimed at initiating positive long-term relationships with the family. Teachers ask parents how and what words they use to comfort their child when he or she is upset . . . as well as ways they encourage their child. This enables the teacher to understand an important aspect of the parents' practices and, by extension, to understand how the child is cared for in the home. In addition, the practice enables the teacher to learn—and then to use—one or more familiar words in the child's home language.

As the teacher makes additional contact with the parent, the teacher has the opportunity to share instances in which the child was comforted or encouraged in the classroom. This provides continuity to the parent–teacher communication, and opens the potential for more significant commnication to occur in the future.

Reflective Questions/Activities

1. How could you incorporate Conversation Starters into your program? Would you begin by asking parents about how they comfort their child in the home language, or would you ask another question?

2. How could you use Conversation Starters in your program with English-speaking parents? How could you go beyond the initial question(s) asked at the beginning of the program year in order to develop a deeper relationship?

3. How might you extend the use of Conversation Starters in your program? For example, how might different staff (e.g., teachers, home visitors, family service staff, administrators) use the practice in complementary ways? How might staff work together to share information they receive from families over time?

4. How might Conversation Starters be used in the family partnership agreement process?

5. How are families invited to share aspects of their culture(s) with other parents and children in classrooms, during socialization times, during other program activities, or in other settings?

6. How can you represent the families' home lives in the classroom/socialization space so that all families feel welcome and valued?

Culturally relevant and diverse programming requires learning accurate information about the cultures of different groups and discarding stereotypes.

Highlights from the Original *Multicultural Principles* (1991)

- Stereotypes and misinformation interfere with effective Head Start program services.

- All program staff have an individual responsibility to acquire accurate information about cultural groups in their community.

Research Review

Culture is an important factor in child development. Nevertheless, there are many challenges to understanding what culture is. Because we acquire our own culture starting at birth, we are rarely challenged to *think about it directly* as we go about our daily lives. Moreover, when we do start to think about our own culture, we find ourselves confronted with a dynamic and complex reality.

As we have seen, there are many different ways to define, describe, or discuss culture. Yet there are some common features of these definitions that can help us develop an organized framework for understanding the different roles culture plays in child development. Common features include:

- The *capacity* for culture is innate or biological. However, cultural *knowledge* is not. Cultural knowledge is acquired through multiple processes that begin at birth (Rogoff 1990; Valsiner 1997).

- Culture involves shared meaning or understandings, including values and beliefs, within a group (Rogoff 2003).

- Culture is dynamic and *volitional* (Ovando & Collier 1998). That is, it evolves and changes over time as people *make choices* in the course of their daily lives, including if (and to what extent) they will participate in the shared meanings, values, and behaviors of their group.

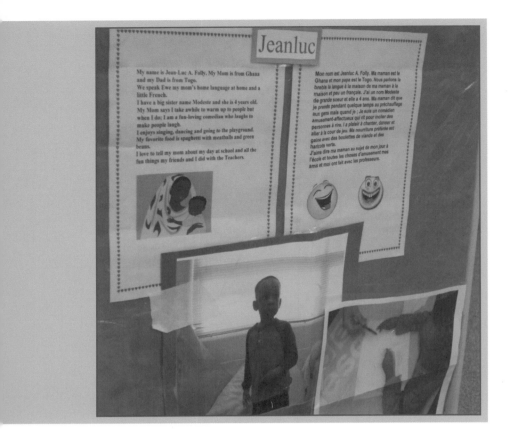

Learning Accurate Information

Learning accurate information about cultures different from your own requires persistence, dedication, openness, and honesty. Exploring your own values, beliefs, and traditions—and learning how they impact you and the way you engage with the world—are preliminary steps to be taken before understanding others. In taking such steps, you also become more aware of your own stereotypes, assumptions, and biases (Sue 1998). There are many ways to pursue a higher level of self-awareness and reflect on your experiences and the cultural lens through which you view the world.

Gaining Knowledge

Increasing your cultural knowledge is essential. Families are rich sources of information for learning about their cultures. It is important to engage in meaningful dialogues with families. Key skills that are important to possess include the ability to listen to others who are culturally different, to actively learn about their experiences, and to respect differences in a nonjudgmental way (Derman-Sparks 1995).

There are many ways to learn about different groups of people. Reading information about a cultural group is one way (Phillips 1995), inquiring and learning about the various home practices of families (Gonzalez-Mena 1995) is yet another. It is equally important to seek out educational and multicultural training experiences (Derman-Sparks 1995). In addition, learning how culture can be integrated into the curriculum and classroom environment is essential (Derman-Sparks 1995).

Discarding Stereotypes

Stereotypes are distorted pictures of reality that broadly label one group as being a certain way. Stereotypes influence our perception, evaluation, judgment, and memory about individuals and events. People tend to learn stereotypes from the people around them—such as peers and family—or from the media and entertainment. Negative stereotypes are usually reinforced in similar ways.

Overcoming stereotypes and working to eliminate bias are continuous processes. It is essential to learn accurate information about different groups of people (e.g., race, religion, gender) through various ways (e.g., attending cultural events). It is important to remember that different does not mean abnormal or deficient. To counter negative stereotypes, seek out positive examples that cancel out or disprove the negative label. Doing this requires time, openness, and sensitivity.

In stereotyping, assumptions are made about a person on the basis of his or her group membership without learning whether the individual fits those assumptions. To avoid negative stereotyping in the Head Start environment, we should reflect on our own beliefs about all aspects of child rearing and early childhood education. We must acknowledge our own beliefs and biases about specific groups of people that may be unintentionally communicated to children and families.

Disabilities Services in Multicultural Settings

Services for children with disabilities are an integral part of all Head Start programs. Of course, these services are also influenced by culture and language. According to Harry and Kalyanpur (1994), the main challenge to program staff is to recognize that services for children with disabilities are based on cultural assumptions. These assumptions, in turn, influence service implementation in many important ways.

For example, cultures may differ in how they define a disability. That is, conditions or behaviors that are viewed as a disability in one culture may not be interpreted in the same way by members of another culture. Culture can influence:

- how parents respond to being informed that their child has a disability;

- how parents may adapt their parenting style in relation to their child's disability and to the goals they have for their children; and

- the ways in which parents communicate with program staff and other professionals who are involved in providing disabilities services.

Clearly, cultural assumptions and the ways in which they impact relationships and communication influence the identification and diagnosis of a disability and the provision of services for children and their families. Not surprisingly, these assumptions may become sources of misunderstanding and friction between program staff and families. Accordingly, Harry and Kalyanpur (1994) recommended that programs begin by developing a "sharp awareness" of this possibility (p. 161).

For example, program staff can avoid making assumptions about parents' behaviors. A parent's silence when informed that his or her child has been diagnosed with a disability may mean something different from what the staff person interprets it to be. In turn, a parent's hesitation to sign permission forms for further evaluation for a potential disability also may be misinterpreted. The authors encourage staff to examine their own cultural assumptions and to actively seek information from families at different times during service delivery, including families' interpretation of the disability and the values that underlie the preferences and practices of the family. The goal here is twofold: first, to work past assumptions in order to develop a productive form of cross-cultural communication with families; second, to address the challenge of "learning to collaborate within the parameters of different cultural frameworks" (Harry & Kalyanpur 1995, 161). The process is neither simple nor easy to implement. However, commitment to developing this approach is essential for programs to go beyond service delivery that is bound within a specific cultural framework.

Key Implications

There are two major implications of the information presented above. First, culture is not an *absolute* factor in children's development. That is, it is not the only factor that helps us understand how children develop. Other factors—including children's biological capacities, temperament, and individual preferences—also have a great deal of influence on how children develop. Although culture has an undeniable impact on human behavior, it is ultimately one of many influences upon human development.

Second, children's development is impacted by *choice*. Although all parents grow up within one or more cultures, culture is modified as parents make individual and specific choices about how to raise their children. For example, some parents may decide to raise their children within a specific religious tradition, whereas others may not. Some parents may insist that their children use the manners and social skills of their traditional culture, whereas others may encourage their children to adopt the social skills of the mainstream society in which they live.

VOICES FROM THE HEAD START COMMUNITY

One grantee in Texas who served primarily Hispanic families found that a concentrated number of Hmong families had begun to enroll in its Head Start program. Some of the families ran small businesses, and others were employed in various agricultural jobs. One family in particular was known to enroll at least one child per year in the Head Start program. This family had reached 12 members in size; the majority were boys. This particular year, two brothers, ages 3 and 3.9 years, were enrolled. The teachers began to request assistance from the director as soon as they heard that additional boys from this family were to be enrolled, as they had worked with their brothers in previous years. The boys were highly active and boisterous in their play, often endangering themselves and other children by climbing and jumping from classroom structures. They were completely undeterred when teachers attempted to intervene during their unconventional play. Out of frustration, the teachers raised the question of cognitive developmental deficits, as evidenced by their inability to follow directions.

Numerous attempts by staff to discuss their concerns with the mother were met with a pleasant but silent demeanor. Unfortunately, staff interpreted her response as lack of understanding or a language barrier, or at best the behavior of a mother who was overwhelmed by a family beyond control. Home visits were offered, but the mother's lack of response was accepted as a refusal. The staff was burned out from working with the family, resigning themselves to the existing classroom climate.

It happened that a skilled clinician with knowledge of Hmong culture conducted a Child Study Team meeting for one of the boys of this family. He was exhibiting a severe deficit in expressive speech. The clinician could see and feel the frustration of the staff as they explained their screening results. A facilitated discussion by the clinician revealed that culturally specific values were contributing to the challenge the teachers were experiencing. Staff learned from the mother, who came to the meeting as the only representative of her family, that in this home and within the Hmong culture, high value was placed on energetic, vigorous play. A happy child is perceived as a direct extension of the parent. This explained the behavior exhibited by the older siblings formerly enrolled in Head Start. An "ah-hah moment" occurred for the staff when, at age 3, these Hmong boys required a lengthy home-to-school adjustment period. Additionally, the boys' behavior fell far below the age-appropriate expectations of preschoolers staff had worked with in the past.

During the meeting, a discussion about family culture evolved to a point at which the mother expressed gratitude to the Head Start program during the past years. The meeting opened doors to further communication and daily reports of progress, and the mother became involved in the classroom and supported her sons' transition into Head Start. Her English skills surprised the staff. The staff's willingness to learn about other cultures, in turn, helped the mother better appreciate the teacher's perspective on the importance of routines and transitions. It provided a rich, multicultural learning experience for staff who had worked at this Head Start program for many years.

Reflective Questions/Activities

1. Does your program's self-assessment process ask you to review and reflect upon your work as it relates to learning accurate cultural information and discarding stereotypes?

2. What opportunities do all program staff have to reflect upon their own experiences and beliefs, including assumptions and beliefs that are stereotypical and that may influence their work with children and families?

3. What opportunities do all program staff have to learn accurate information about families and communities within your service area?

4. Does your program value cultural information that, in addition to languages spoken in the home, includes background information about child rearing practices, meal traditions, family origin, educational, and socioeconomic characteristics?

PRINCIPLE 4:

Addressing cultural relevance in making curriculum choices and adaptations is a necessary, developmentally appropriate practice.

Highlights from the Original *Multicultural Principles* (1991)

- Children's learning is enhanced when their culture is respected and reflected in all aspects of the program.

- Programs must accommodate various learning styles of children.

- Children benefit from active, hands-on learning experiences that include frequent opportunities to make choices.

Research Review

As culture is an important context in which children develop, decisions related to curriculum should naturally take information about family culture and home language into account. This section will focus on the intersection of three important aspects of cultural influences on child development: (1) how parents raise their children, (2) how teachers teach, and (3) how children learn.

Culture has a major influence on the goals that adults have for a child. In some cultures, adults desire to see their child walking independently as soon as possible. You may have observed parents supporting their young children by both hands as they take tentative steps on a sidewalk or path. It is common to see infant or toddler classrooms equipped with objects to encourage children to crawl over and pull themselves up to a standing position, or to see teachers (or parents) extending their hands to encourage a child to take a few steps toward them. Helping infants to walk at an early age seems to be a goal of almost everyone in mainstream American culture. However, not all cultures share this outlook on early walking.

Valsiner (1997) pointed out that, among the Tuvan people of central Siberia, late walking by children is considered an indicator of a long life. In Tuvan culture, the "lateness" of walking is considered beneficial; therefore, adults do not facilitate early walking experiences by their children. This is one example of how what seems "familiar" in one cultural setting may not be valued or prioritized in another culture.

Gonzalez-Mena (2001, 2008) described the various ways a culture can influence how adults—as either parents or teachers—relate to children. Because adults have goals for young children, they therefore take on a variety of *roles* in order to support children's development in ways that are consistent with these goals. This relationship—between goals and roles—can be observed in a number of daily activities, interactions, and curricular choices. For example, culture can shape how adults:

- carry out basic infant caregiving routines, such as sleeping, hygiene, and feeding;

- provide stimulation to their infant or toddler;

- understand, interpret, and relate to children's play;

- initiate and respond to children's communication, including nonverbal behaviors as well as speech;

- assess and address different types of conflicts (e.g., child–child, child–adult); and

- carry out socialization, guidance, and discipline of the child (Gonzalez-Mena 2008).

When Parents and Program Collide

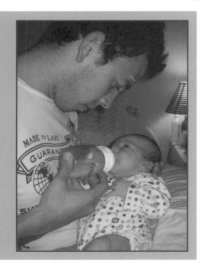

In the Head Start of the twenty-first century, it is typical for program staff and enrolled families to come from different cultural backgrounds.

Cultural differences can lead to conflicts in many ways. For example, two Early Head Start teachers may disagree on practices for handling a baby, responding to crying, or feeding. Home visit staff may be conflicted over how and when to intervene in family arguments. Staff and parents in American Indian and Alaska Native or Migrant and Seasonal Head Start programs may differ about the extent to which programs should support children's home or native language. Given the wide range of cultural ideas, it is not surprising that adults can have differences that are firmly ingrained within them.

As noted previously, adults may disagree over *practices*—that is, ways of working with or caring for young children. Gonzalez-Mena (1992, 2001, 2008) indicated that these disagreements may be *cultural* or *individual*. In the first case, adults from different cultural backgrounds may find that their familiar ways of working with children are different; in the second case, adults within the same culture can disagree. In situations of conflict between program staff and parents (either cultural or individual), Gonzalez-Mena identified four possible outcomes:

1. All sides gain understanding, negotiate, and/or compromise, leading to resolution of the conflict.

2. Program staff understand the parents' perspective(s) and change their practices.

3. Parents take on the perspective of the program staff and change their practices.

4. No resolution is reached (here, the conflict may continue or intensify; or both sides can cope with the differences).

Of course, conflicts can occur over numerous issues. To help program staff make progress, Gonzalez-Mena challenges them to question their own assumptions about child development practices (e.g., "My way of thinking about X is not the only way to think about it. My way of doing Practice Y is not the only way to work with the child."). Once this commitment to test one's own assumptions is in place, two goals for a conflict situation are: (1) to minimize (or eliminate) extreme differences in practices; and (2) to resolve the situation for the benefit of the child. Program staff are encouraged to take a child-centered look at any situation of conflicting practices by asking the following:

1. How does the family view a particular practice?

2. How does each program staff person view a particular practice?

3. How does the child respond to the specific practice?

The point is to begin and continue to dialogue with families and to exchange information with the goal of resolving the conflict for the benefit of the child. The "bottom line" is really: What is in the best interest of the child? Readers are encouraged to review the works of Janet Gonzalez-Mena cited in this document's References section for more specific guidance on implementing these strategies.

Key Implications

Cultures shape the goals or desired outcomes valued within a particular society. Parents and teachers may have different goals that translate into real and practical differences as parents and families seek to raise their children within a particular set of ideas. Adults' goals for children are reflected in the numerous ways in which they support children's development.

By learning more about the goals that parents have for their children, and about the types of behaviors or practices that parents prioritize and implement as they raise their children, program staff can more easily match the learning experiences of the classroom to those of the home. For example, if a teacher is concerned that a 3-year-old in her class is not skilled with using a fork, she should first find out if this is a goal of the family. Do they scoop their food at home using spoons? Do they use chopsticks? Do they feed the child? It is best for the teacher to check what the family practices and goals are before starting to individualize for this child regarding learning how to eat with a fork.

One way of making developmentally appropriate curriculum decisions is to learn about the lives, beliefs, and interests of the children and their families. The information can then be used to inform the range of services provided by the program. The next section describes how children's "background knowledge" can be gathered and used to support language development in either the first or the second language.

Background Knowledge

As discussed previously, children acquire cultural knowledge from the day they are born. Put another way, children enter Early Head Start and Head Start with understandings already acquired from interactions and experiences with family and community members. The term *background knowledge* refers to the specific factual and social information that children can have at any age.

At any age, children acquire not only cultural knowledge and language skills but also conceptual knowledge. Some examples of conceptual knowledge include:

- understanding the uses of objects (e.g., a map is used to find locations),
- quantity (how many items are in a group),
- directions (up/down or north/south), or
- properties of objects (e.g., a cork will float in water but a key will not).

These insights are an additional source of information for planning and implementing daily learning experiences within the classroom.

Background knowledge plays a key role in children's acquisition of a second language. Familiar objects and concepts that the child has acquired from family and community members in the home language—when used in second language settings—can facilitate learning, as the child can focus on the new vocabulary involved. Background knowledge "helps determine how cognitively demanding a subject is," and can be considered a context for second language acquisition (Freeman & Freeman, 1992, 28). Background knowledge can also include specific, personally meaningful experiences such as travel, observations of family routines, or knowledge of parents' employment. This discussion about the context of language learning is explored in more detail in Principle 6.

Key Implications

The role of background knowledge in children's learning emphasizes the importance of ongoing child assessment in all Head Start programs, especially those in diverse service areas.

Teachers can use ongoing assessment procedures (e.g., observations of children in the classroom, observations during home visits, conversations with parents) in order to understand the background knowledge of individual children. By taking into account "where children are coming from" (i.e., understanding children's experiences, lifestyle, and what children already know), teachers are in a position to plan a curriculum that fully supports children's learning.

Culturally Responsive Practices; Culturally Appropriate Services

Since the publication of the *Multicultural Principles* in 1991, the field of early childhood education has been marked by sustained interest in, and discussions of, the intersection of child development, family culture, and home language(s) with program policies and practices. For example, in 1996, the National Association for the Education of Young Children (NAEYC) published a Position Statement entitled *Responding to Linguistic and Cultural Diversity: Recommendations for Effective Early Childhood Education.*

In 1997, NAEYC released its revised publication on *developmentally appropriate practices.* This term was formulated by professionals making decisions about the well-being and education of children, on the basis of at least three important pieces of information:

1. *What is known about child development and learning*: Knowledge of age-related human characteristics that permits general predictions within an age range about what activities, materials, interactions, or experiences will be safe, healthy, interesting, achievable, and challenging to children.

2. *What is known about the strengths, interests, and needs of each individual child in the group*: [Necessary] to be able to adapt and be responsive to inevitable individual variation.

3. *Knowledge of the social and cultural contexts in which children live*: [Necessary] to ensure that learning experiences are meaningful, relevant, and respectful for the participating children and their families. (Bredekamp & Copple 1997, 8–9)

With this information, programs are expected to use knowledge of children's cultural and social settings as a key component of decisions about teaching environments. In 2009, NAEYC released its third revision of the publication (Bredekamp & Copple 2009). In this most recent version, the three types of knowledge identified in the 1997 publication remain. The decision-making process for developmentally appropriate practices is presented in Figure 3.

Figure 3. Sources of Developmentally Appropriate Practices.

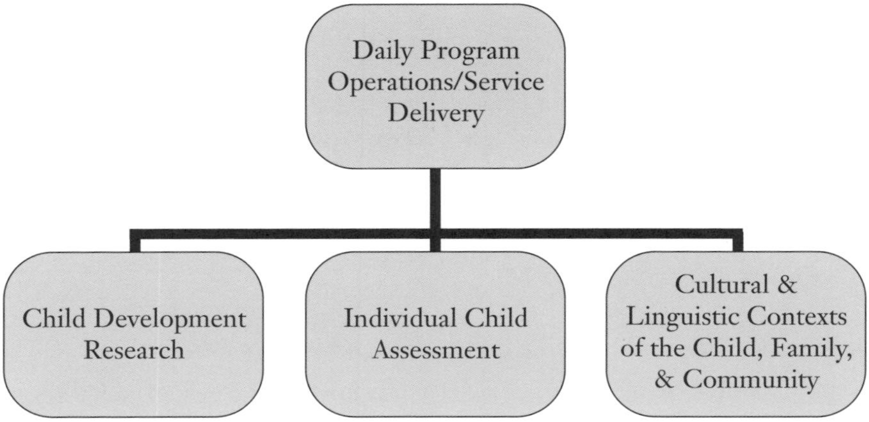

Curriculum in Multicultural Classrooms

The term *culturally responsive practices* has been used to refer to the implementation of effective teaching practices in diverse early education settings. One source describes culturally responsive practices as *teaching to and through* the strengths of children who are culturally, ethnically, and linguistically diverse (Gay 2000, 29). This term implies the integration of assessment and curriculum practices: program staff must learn about the individual strengths, abilities, and preferences of each of the children enrolled in their program, and then find ways to plan and implement a curriculum that is based upon these strengths. For example, teachers can use home visits to learn about the child's strengths and interests, to observe ways that families interact with their child, and to begin a dialogue with families about their goals for the child.

Classroom Materials

In her 1995 book, *The Right Stuff for Children Birth to 8*, Martha Bronson offers detailed suggestions for selecting play materials that are safe, appropriate, and supportive of play and development. It is relevant to note here that classroom materials can potentially depict people in stereotypical ways or only contain token images of culturally diverse people. Therefore, the challenge is to provide classroom materials that reflect *all* children, families, and adults in the program, and to eliminate stereotypical or inaccurate materials from daily use. For example, books and dramatic play materials should reflect diversity of gender roles, racial and cultural backgrounds, special needs and abilities, and a range of occupations and ages. Books and environmental print should also represent the different languages of children in the classroom.

The challenge for programs is to establish systems and procedures that take the cultural and linguistic contexts of the children into account. Once in place, these classroom materials should be reviewed on an ongoing basis to ensure that the classrooms reflect all enrolled children without stereotyping. Programs are encouraged to seek information from parents, family members, and knowledgeable members of the community for their input in equipping classrooms to reflect cultures and languages in respectful ways.

Finally, encouraging children's language and cognitive growth does not preclude the responsibility to support each child's sense of well-being, the formation of his or her identity, and feelings of security. A consensus within the research is that effective environments for children support *all* domains of development, and that environments associated with learning outcomes should also provide strong support for social–emotional development (Hart & Risley 1995, 1999; National Research Council and Institute of Medicine 2000; Snow, Burns, & Griffin 1998). With this in mind, the developmentally, culturally, and linguistically appropriate environment mirrors the ideas, values, attitudes, and cultures of the children it serves (Gestwicki 1995). The following are some specific strategies suggested by Derman-Sparks (1989):

1. Use images in abundance that represent all children, families, and staff in your program.

2. Use images of children and adults from the major ethnic groups in your community and in U.S. society.

3. Use images that accurately reflect people's current daily lives in the U.S. during work and recreational activities.

4. Offer a balance among different cultural and ethnic groups.

5. Provide a fair balance of images of women and men doing "jobs at home" and "jobs outside home." Provide images of older people of various backgrounds doing different activities.

6. Provide images of differently abled people of various backgrounds at work and with their families.

7. Use images of diversity in family styles, such as single mothers and fathers, and extended families that are multiracial and multiethnic.

8. Use images of important individuals, past and present, and that reflect diversity.

9. Exhibit artwork—prints, sculpture, and textiles—by artists of various backgrounds.

VOICES FROM THE HEAD START COMMUNITY

Here are examples of two "voices" that support Principle 4, one an Early Head Start program and one a Head Start program.

In one Early Head Start program in Massachusetts, when a mother from Ghana who spoke very little English brought her 9-month-old daughter to our classroom, we had some concerns. The baby could not roll over or sit up by herself. At first, communication was difficult, and the mother seemed unhappy with the care her daughter was receiving. She appeared unconcerned about the delay. The teacher was trying very hard to build a relationship with this mother, but was having difficulty.

Through informal daily exchanges, the teacher built a relationship with the mother while caring for the baby. Sometimes the teacher would send notes home, and the mother's friend would translate. The mother would then bring notes back. For home visits and conferences, they found an interpreter who would facilitate communication. The teacher learned that this mother used a long piece of fabric to keep the baby wrapped to her body most of the time because she came from a family where you don't put a baby down on the ground.

Once this important piece of information was understood, the teacher was able to help the mother feel more comfortable about the care her baby was receiving. She explained why they put babies on the ground for tummy time. The teacher asked the mother's permission to implement plans she had made for the baby. If the mother did not want the baby on the floor, would it be okay if she was on a foam mat with someone right next to her? That was okay with the mother, but she was concerned that the baby needed to be held more often. Because the infant room had many volunteers, it was easy to meet this request. Teachers and volunteers made efforts to hold the baby as much as possible and do it in ways that would support her gross motor development. They played bouncing games on their laps, let her lie across their legs on her stomach, and gave her large objects to hold onto. The program was able to secure another foam mat, similar to the classroom mat they used, so that the mother could use it at home.

Through communication, patience, and an open mind, the teacher built a relationship with the mother and created opportunities for this baby to improve her motor skills. In turn, the mother shared her beliefs with the teacher that babies should be frequently held. Respecting this practice, the teacher incorporated it into her lesson planning.

In a rural community in the United States, both men and women are absent from their jobs on the first day of hunting season. The majority are hunters who hope to fill their freezers with meat in order to feed their families during the winter. The Head Start program experiences the arrival of hunting season with the arrival of young children at Head Start carrying toy guns, just like Daddy and Mommy.

Program administrators and teachers alike have spent countless hours discussing how their programs can restrict gun play in a community that depends on the use of guns to put food on the table. At one Head Start site, experienced teachers anticipated the arrival of children with their guns by setting up a receiving area just inside the center's doors where the guns were to be "checked at the door." Each family was greeted by a staff member who explained procedures, just as they used to have to do in the old days. Each child received a paper ticket in exchange for their gun along with the assurance that the gun would be returned at the end of the day when they went home.

At another site, teachers used this event as an opportunity to educate the young children about the requirements of gun ownership and handling. The teachers' lesson plans included teaching the children how to apply for legal ownership of a gun, gun regulations, and gun safety. After the children completed these lessons, the teachers issued each child a certificate of attendance.

Reflective Questions/Activities

1. How are home visits by teachers or home visitors conducted? Is time taken during home visits to observe how children, parents, and other family members relate to each other?

2. Is time taken during home visits to ask parents about knowledge and information that are familiar to the child?

3. How are teachers' observations of children in the classroom used to identify children's background knowledge? As the teacher gains additional information about what children know and do, are classroom learning experiences planned with this information in mind?

4. How do program staff use informal conversations with parents (e.g., encounters in the hallway or during drop-off or pick-up times) to learn more about the child?

5. How are parents included in curriculum planning? Are parents invited to share information about their child's interests and favorite activities? Is this information used in curriculum planning?

6. Does your program have a procedure for reviewing conflicts over practices between staff and parents? Do staff have opportunities to discuss and role-play different scenarios and to practice their skills at dialogue with families?

Additional Reflective Questions

Given the importance of cultural and social contexts to children's development, how do we as a program . . .

1. Begin information-sharing and create opportunities for dialogue with parents and family members during our initial contacts with them?

2. Find ways for parents, family members, and community partners to share their expertise, ideas, preferences, and information about their cultural backgrounds to the extent that they choose to do so?

3. Develop our expertise in developing and sustaining dialogue with families, especially when there are questions or conflicts over program practices?

4. Organize and integrate information across staff; that is, do different staff working with a family have oportunities to share, discuss, and integrate information in order to produce more effective program services?

5. Are our partnerships and dialogue with families and community partners centered on the well-being of the children enrolled in our program? What practices and strategies do we have in place for when staff and parents are in disagreement?

PRINCIPLE 5:

Every individual has the right to maintain his or her own identity while acquiring the skills required to function in our diverse society.

Highlights from the Original *Multicultural Principles* (1991)

- Children need the cultural identities of their families to be recognized and honored.

- Children need to learn a variety of skills in order to function effectively in a diverse society.

- Children have the right to grow up in environments where differences are expected and respected.

Research Review

Like culture, our identity is dynamic and complex. Our identity is connected to our work and activities, our families and heritage, our ideas and beliefs, and our choices and circumstances. Beginning at birth, young children develop their identities over time, in the context of family and community relationships.

As noted in Principle 4, one way that culture shapes children's development is through the goals that adults have for children as well as through the roles that adults take on in order to accomplish these goals. This cultural shaping process will naturally have an impact on how members of a cultural group come to develop a personal and social identity. Although a full review of the literature on identity development is beyond the scope and purpose of this document, it should be noted that some researchers have investigated the connection between the cultural identities of immigrant groups in the United States and school achievement.

One common assumption is that traditional cultures "get in the way" of school success. Immigrants and minorities, it is argued, must "do away with" the culture of their families and take on the cultural forms of their schools. This assumption was disputed by a team of researchers who compared levels of assimilation into U.S. culture with Indochinese children's school achievement:

> *The most successful Indochinese families appear to retain their own traditions and values.* By this statement we are in no way devaluing the American system. The openness and opportunity it offers have enabled the Indochinese to succeed in the U.S. even while maintaining their own cultural traditions. (Caplan, Choy, & Whitmore 1992, 41)

Another finding is that cultural identity is connected to literacy development. Altarriba (1993) framed the issues as follows:

> The existing evidence . . . uniformly suggests that [reading] comprehension is facilitated to the degree that the reader is culturally familiar with the material being read. Subjects experience interference when culturally unfamiliar material is presented for processing. (p.381)

In other words, culturally responsive practices not only can be used to inform curriculum and specific teaching practices aimed at early literacy but also are necessary to support children's academic progress. In this view, programs do not have to choose between services that promote academic development and those that are culturally responsive. Instead, programs are encouraged to improve upon culturally responsive policies and service delivery in order to support fully children's learning and development (National Research Council and Institute of Medicine 2000).

Key Implications

One key implication is that family culture is a source of strength, especially for young children. Therefore, programs should develop self-assessment procedures to examine program systems and services.

Family and Culture: Sources of Strength

Families play a crucial role in forming a child's identity and helping that child determine his or her place in the world (Jackson, Taylor, & Chatters 1997). For example, among African American Head Start families, it was found that mothers' positive identification with their race was significantly related to children's social competence (Halgunseth et al. 2005). Self-esteem, positive psychological functioning, and achievement have all been associated with a person's connection or identification with his or her racial and cultural group.

There are many other ways that culture can serve as a source of strength. Informal adoption by extended kin, godparents, or friends is a culture-bound practice among many Puerto Rican, African American, and Native American families (Garcia-Preto 2005; Moore-Hines & Boyd-Franklin 2003). Furthermore, extended ethnic kin networks and social networks have been found to enhance self-esteem (Keefe & Padilla 1987). Research has also found that many Hispanics and Asian Americans seek personal support networks, economic opportunities, and social acceptance within ethnic communities (Vega & Rumbart 1991).

According to the *Multicultural Principles* (1991), the culture of each family must be recognized and embraced for its unique characteristics, as well as how it serves as a source of strength in supporting children's development. It is important to view families as having their own distinctive culture, structures, and practices that can be different from what we are familiar with. However, these differences do not make the family or the children deficient, but just the opposite—a knowledgeable and rich resource that programs should take advantage of as they plan and implement their program.

VOICES FROM THE HEAD START COMMUNITY

An American Indian Head Start program located on a reservation in Wisconsin operates dual-language classrooms for infants, toddlers, and preschool-age children in order to preserve the Ojibwa language and culture as well as to support English language acquisition. Members of the community who are most fluent in the language provide language instruction to program staff on a regular basis. The staff carry out many activities to support language preservation, including implementation of culturally responsive play and learning experiences within classrooms.

For example, toddler and preschool classrooms feature word walls that present basic vocabulary in Ojibwa and English. In addition, teachers have created storyboards that are familiar to the children. In one classroom, the board includes a forest scene in which there are trees, plants, ponds, and small animals. In one spot in the scene, a tree stump indicates that a beaver had chewed down the tree. The storyboard is a place where children can play and use language to describe familiar settings and events. During children's play, teachers have the opportunity to observe children's language use, to extend and elaborate upon children's utterances, and to introduce new vocabulary in either Ojibwa or English.

In a related activity, teachers cover tables with butcher paper during free playtime.

Using various colored marking pens, the teachers outline settings that are familiar to the children, including Lake Superior, train tracks, and trees. The teachers then bring small toys to the setting, such as toy trains, small animals, stickers, hats, and other dress-up clothing. What began as a teacher-initiated activity can then be turned over to the children, to allow them to develop different ideas in their play. Like the storyboard activity, this type of pretend play allows the children to direct their own activity, to develop complex stories about the setting and actions involved, and to use either of their languages to express themselves.

Reflective Questions/Activities

1. Observe the book area within a classroom. To what extent do the books reflect the racial, ethnic, and linguistic heritage of all children enrolled in the classroom? How do the arrangement and decoration of the area invite children from various backgrounds to enter and select books?

2. How familiar are you with the stories that the children in your program are told or have read to them by their parents or other family members? If you are familiar, how do you use this information to plan a curriculum? If not, how can you obtain this information?

3. Does your program have a formal policy to ensure that teaching staff or volunteers read to children in the home language and in English? Are books in the classroom offered in the languages spoken by all enrolled children?

4. How are parents invited to share their culture(s) with children, families, or program staff? How are parents invited to share with program staff what makes their family "feel at home"?

5. What specific indicators and systems can your program identify that demonstrate respect and support for the cultures of all enrolled families?

PRINCIPLE 6:

Effective programs for children who speak languages other than English require continued development of the first language while the acquisition of English is facilitated.

Highlights from the Original *Multicultural Principles* (1991)

- Language acquisition is a natural process based on discovering meanings.

- Use of children's first language facilitates learning in the preschool years.

- Research indicates that developing and maintaining a child's first language support and facilitate learning of the second language. This is best accomplished without translation and with the recognition of the child's need to develop understanding before speaking.

Research Review

Since the publication of the *Multicultural Principles* in 1991, research on dual-language development (i.e., children acquiring more than one language) has consistently supported this Principle. First, research has demonstrated that dual-language development does not interfere with the acquisition of typical developmental milestones. Second, research has identified key aspects of environments that support language acquisition. Third, the connections between language and the acquisition of conceptual skills is a compelling reason for the continued development of children's home language. Finally, recent research has indicated that ongoing use of the first language facilitates the acquisition of English. Summaries of these research findings are presented below. Programs are encouraged to access *Dual Language Learning: What Does It Take?*, the Office of Head Start dual language report, via the Early Childhood Learning and Knowledge Center Web site: http://eclkc.ohs.acf.hhs.gov/hslc.

Dual-Language Acquisition: Does It Delay Development?

Dual-language development in young children is characterized by *variability*; simply put, there are various pathways to the acquisition of two languages. Although it is probable that the majority of children in the world are exposed to more than one language (Bialystok, 2001), dual-language development is often the cause of anxiety in adults. The anxiety may be characterized as a concern that dual-language development is "too much" for young children to handle.

On the basis of this concern, several studies have collected and analyzed data on dual-language development in very young children. Oller, Eilers, Urbano, and Cobo-Lewis (1997) examined groups of monolingual and dual-language (Spanish, English) infants to examine when the children began to babble and how much babbling they did. The researchers found no significant differences between the two groups.

Petito and colleagues (2001) examined groups of monolingual and dual-language children (French, English, sign language) and compared their acquisition of the following language milestones: first spoken (or signed) words, two-word utterances, and a 50-word vocabulary. Prior research on monolingual children has established these milestones as important points in the developmental process. Petito and colleagues found no significant differences in the ages at which dual-language children acquired the language milestones in comparison to monolingual children.

Other researchers have examined dual-language development in preschool-age children (Rodríguez, Díaz, Duran, & Espinosa 1995; Winsler, Díaz, Espinosa, & Rodríguez 1999). In these studies, low-income, Spanish-speaking children attending bilingual

---

Definitions

Dual-Language Learners (DLL): Children learning two (or more) languages at the same time, as well as those learning a second language while continuing to develop their first (or home) language (ACF 2008).

L1: Refers to a child's first language, also referred to as home or primary language.

L2: Refers to a child's second language.

Second-Language Learners/Sequential Bilingual Development: Children who begin to learn an additional language after three years of age (Genesee, Paradis, & Crago 2004, 4).

Simultaneous Bilingual Development: Children who learn two or more languages from birth or who start within one year of being born (Genesee, Paradis, & Crago 2004, 4).

preschool programs were compared with similar children who remained at home. The classrooms used in the study were "truly bilingual in the sense that approximately equal proportions of time were spent by teachers speaking Spanish and English" (Winsler et al. 1999, 360).

Children enrolled in the bilingual preschool programs showed significant gains in both Spanish and English vocabulary acquisition. Instead of experiencing a decline in their first language, children who attended the bilingual preschools demonstrated continued growth of first-language skills. In addition, these children advanced their development of specific skills in Spanish, such as using increased numbers of words to tell a story. The authors attributed the children's progress in both languages to the high quality of the programs children attended. Although the research base on this issue is not extensive, the available evidence shows consistent results: children are able to acquire more than one language, given the opportunity to receive consistent exposure in both languages.

Home Language and Conceptual Skills

Language development involves more than learning to speak. As children acquire their home language, they also build up their conceptual knowledge. From birth to five years of age, young children develop a wide range of important conceptual skills, including the following:

1. **Categorization**: Children are able to identify apples, bananas, and oranges as examples of fruits or are able to recognize the differences between children and adults.

2. **Classification**: Children are able to distinguish between big and small items or are able to group items by two or more attributes (e.g., "This bowl is red and plastic. That bowl is green and made of glass.").

3. **Narration**: Children are able to describe previous experiences as a coherent (i.e., logical, readily understood) story or to recall in detail the contents of a favorite book.

4. **Cause and effect**: Children are able to identify germs as the source of illness or are able to understand that sunlight can cause sunburn.

5. **Logical reasoning**: Children are able to link two ideas in a logical order (e.g., "We have to clean up because it's almost time to get on the bus.") or are able to distinguish between real and pretend activities.

6. **Number operations**: Children are able to count the items in a group or are able to add small quantities together to obtain the correct sum.

7. **Spatial relationships**: Children are able to indicate objects that are above, below, or beside another object or are able to indicate, for example, that an object is to the left of another object.

In many concrete and important ways, children develop a wide range of important conceptual abilities as they acquire and develop their first language. These skills are essential for reading and school success, and the skills have the potential to transfer from one language to another. To support children's readiness for school, Head Start programs should maximize children's uninterrupted conceptual development during the preschool period by supporting home language learning as well as English.

The Home Language Foundation

Strong and continued support for the development of the home language is key for successful second-language acquisition. As Collier (1995) explained:

> The key to understanding the role of first language in . . . second language is to understand the function of uninterrupted cognitive development . . . when parents and children speak the language that they know best, they are working at their actual level of cognitive maturity. (p. 6–7)

That is, parents should be encouraged to use the language they know best when speaking with their children. As children continue to develop their knowledge in the first language, this same knowledge and learned concepts can readily be transferred to a second language once the child has developed vocabulary and grammatical abilities in that second language.

Recent support for this position was provided by the results of a study by Miller and colleagues (2006). In their study of 1,500 Spanish–English bilingual children enrolled in kindergarten through third grade, the authors examined how oral language proficiency in either Spanish or English was related to children's reading abilities in both languages. The authors reported that children's oral language proficiency in English predicted their reading scores in both English and Spanish. Likewise, children's oral language proficiency in Spanish predicted their reading scores in both languages. The evidence indicates that increased proficiency in one language supports reading ability in a second language.

Although the results come from only one study, these findings do not support the operation of English-only environments for children who speak languages other than English. In fact, the findings suggest that the continued development of the child's home language—with an explicit emphasis upon the development of strong oral language skills—is a direct source of support for the child's acquisition of English, and particularly for successful reading in English later on.

Key Implications

Figure 4 presents an imperfect but perhaps useful visual display of sequential dual-language development. The figure indicates that a child has begun to acquire one language from birth (indicated in yellow) and then begins to acquire a second language as a 4-year-old (indicated in red).

As you view the figure, keep in mind the range of conceptual skills that children acquire and develop in their home language (yellow) or L1. (These skills are listed on pages 47-48.) Now consider the extent of the children's development of their second language, (red) or L2.

Figure 4 demonstrates children making steady progress in their second language (red), L2. However, their acquisition of L2 vocabulary takes time. When we consider the range of conceptual skills formed in their language (L1), and then regard the extent of second-language development, it is difficult to imagine how children could continue to develop their conceptual knowledge if access to their first language were substantially reduced or cut off entirely.

Figure 4. Visualizing Sequential Dual-Language Acquisition.

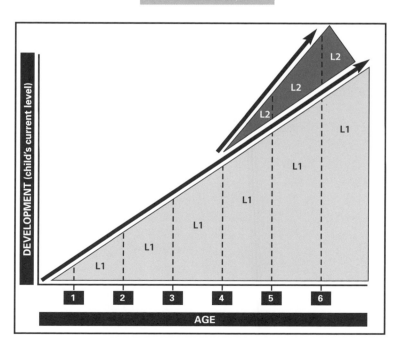

Simply put, during the first few years of sequential dual-language development, children do not have the level of L2 vocabulary and other language skills (i.e., grammar) to be able to use or to develop their conceptual skills. There is just not enough linguistic "raw material" to do the job.

Therefore, Principle 6 is consistent with the research on language acquisition and with the research on the development of conceptual skills. Programs should seek to support the continued development of children's home language by hiring teachers or obtaining volunteers to the extent possible. However, it is clear that not all programs are able to hire staff fluent in all of the different languages that the children and families speak. Therefore, it is vital that programs form partnerships with parents and other community members who are encouraged to provide such assistance. Program staff can help families tap into their strengths and interests (e.g., storytelling, quilting, gardening, games, physical activities) and communicate with them how these can contribute and be brought into the classroom as learning opportunities.

By maintaining the development of children's home language, we concurrently support the advancement of many conceptual skills that are necessary for later academic success. This increased improvement and continued learning in the home language can be accomplished while introducing and supporting children's development of English.

VOICES FROM THE HEAD START COMMUNITY

A program in Washington state recognized how difficult it was to support children who speak languages other than English when, within their Head Start program, there were 20–30 languages spoken in any given year. The program covers a wide geographic area; some centers may have only Spanish and English speakers, whereas others may have 5–7 languages spoken in one classroom.

With the oversight of the bilingual services manager, the program created a bilingual assistant program. Hired at the beginning of the program year, part-time bilingual assistants are community members, parents of formerly enrolled children, and others who understand and speak sufficient English and one of the desired home languages. The bilingual assistants (who are not part of the teacher–child ratio requirement) are assigned to a classroom when there is a minimum of four children in the classroom who speak the same second language. (Classrooms with fewer than four children who speak a second language are not assigned a bilingual assistant. In these classrooms, however, trained volunteers who speak the language of the children serve as language models and work individually with the children.)

The program provides training to the bilingual assistants, who work with teachers to help children learn expectations, transitions, and routines. They are trained how to provide individual language support in order to meet children wherever they are in their process of language acquisition. Classrooms teachers are required to complete an online training module on how to work with the bilingual assistants effectively and on the importance of home language retention and second-language acquisition. The bilingual services manager together with individual teachers decide how long the bilingual assistant remains in the classroom. The bilingual assistants are an integral part of the program's philosophy of supporting and utilizing a child's first language while promoting English language acquisition.

Reflective Questions/Activities

1. Review the list of cognitive skills that children develop as they acquire their home language (see the "Home Language and Conceptual Skills" section, p. 47). Do observations of the classrooms in your program demonstrate that teachers plan learning experiences to support children's acquisition of these skills?

2. To what extent is the program able to hire staff who speak the home languages of the children enrolled in the program?

3. When it is not possible to hire staff who speak the home languages of families, what has your program done to increase families' access to the full range of Head Start services and to communicate the importance of family support for the home language(s)?

4. Does your program have written policies on the use of home language and English throughout your program's systems and services? If not, what information is needed to begin? If yes, how are these policies shared with staff and parents?

5. What policies and practices are in place within your program to support parents' understanding of first- and second-language development?

PRINCIPLE 7:

Culturally relevant programming requires staff who both reflect and are responsive to the community and families served.

Highlights from the Original *Multicultural Principles* (1991)

- The *Head Start Program Performance Standards* require grantees to hire staff that reflect the racial and ethnic population of the children enrolled in the program.

- Incorporating cultural relevance and support for the continued development of children's home language is the foundation for a good program.

Research Review

The research and information presented in Principle 6 indicates that young children enrolled in classroom settings benefit when at least one adult speaks their home language. In home visiting programs, the ability of the home visitor to speak the language of the family is especially crucial to establishing and developing relationships that support families' and children's development. Regardless of the program option, families need to be able to understand fully what the Head Start program is, the types of services that their children receive, and how they can become involved. Parents need to understand and contribute to the progress their child is making.

Key Implications

The *Head Start Program Performance Standards* reflect Principle 7. The Standards require that:

- effective two-way comprehensive communications between staff and parents are carried out on a regular basis, in a language parents understand;

- staff and program consultants are familiar with the ethnic background and heritage of families;

- meetings and interactions with families are respectful of each family's diversity and cultural and ethnic background; and

- when a majority of the children speak a language other than English, a classroom staff member (or home visitor) must be hired who speaks their language.

These requirements, along with numerous others related to programmatic cultural and linguistic responsiveness, necessitate that staff members be hired who reflect both the children's and the families' linguistic and cultural backgrounds.

For many years, Head Start programs have had a tradition of "growing their own staff" or hiring from within to reflect the community and families in their program. In some instances, a program may train volunteers who have promise and a commitment to the program, but perhaps lack the qualifications to be employed. During the volunteer process, professional development is built in for these individuals while they are on their way to becoming paid substitutes and then on to paid staff with ongoing staff training. Tribal programs have been hiring from within the community and then growing staff for many, many years.

Programs must be able to communicate with families and children in meaningful ways. Programs should ensure that staff and consultants are familiar with the ethnic background of families. This information should be included in written communication and policies for both staff and consultants. In addition, programs should be mindful of how they utilize bilingual capabilities of staff. For example, if a bilingual teacher, hired for the purpose of teaching and interacting with children and their families, is also being asked to interpret and translate on a regular basis, this may not be appropriate. The additional responsibilities of translating and/or interpreting may cause the teacher to burn out. In addition, programs must remember that a person's ability to speak a language does not mean that he or she is competent or comfortable with either intrepreting for someone else or translating the written word from one language to another.

Programs should explore how parents best receive information. Programs need to work with parents to determine their literacy level in their home language and avoid assuming that, if a document is translated and sent home, it is automatically read and understood.

VOICES FROM THE HEAD START COMMUNITY

During the summer months, Migrant and Seasonal Head Start programs are held to a special education standard by the *Head Start Performance Standards* and the Individuals with Disabilities Education Act. Both require that children with suspected disabilities are screened, evaluated, and identified to receive special education services from Part C or Part B agencies within a finite amount of time. The school districts are responsible for implementing the special education programs but are typically closed during the summer months. This, however, does not preclude the responsibility of the programs to secure proper services.

To meet this requirement, one Migrant and Seasonal Head Start program in California made great efforts to contract with state-licensed, bilingual speech-language pathologists who had been migrant children themselves. The program recruited at universities when the students were close to completing their degree program. The students were able to do their practicum in the migrant Head Start program. What better way to find staff who could properly assess and serve their children? The speech pathologists understood the importance of timely evaluations for families on the move, and they understood the migrant family lifestyle. When meeting with families, their conversations were rich with cultural insights, including the relevance of preserving a home language. These professionals could explain the importance of early therapeutic intervention, as well as help the families work through any reluctance they might have to participate in the program. These conversations were perfect preparation for the school years ahead. They also ensured children would receive services as parents learned how to advocate for their children by providing schools with their child's official Individual Education Program when moving to another state.

These state-licensed, bilingual professionals expressed their desire to give back to their heritage, and, at the same time, they made it possible to provide quality services with minimal interruption to Migrant and Seasonal Head Start children. It was a win/win situation for all.

Reflective Questions/Activities

1. How does your program currently gather information from families? Do your information-gathering practices assist staff to better understand the cultural values and beliefs of the families enrolled in your program?

2. How does your program identify and take into consideration parents' interests in culturally specific resources and services?

3. How does your program inform families in your service area about Head Start program services?

4. How does your program ensure that parents from different cultural groups or parents who may speak languages other than English are fully informed of and participate in the full range of parent involvement opportunities in your program?

5. How does your program reach out to, recruit, and/or hire staff, parents, volunteers, or consultants who reflect the families and the community?

PRINCIPLE 8:

Multicultural programming for children enables children to develop an awareness of, respect for, and appreciation of individual cultural differences.

Highlights from the Original *Multicultural Principles* (1991)

- Diversity within classrooms and home-based socialization experiences can be the starting points for planned learning experiences and discussions about individual differences.

- Cultural information should be integrated into everyday environments and learning experiences rather than taught as an occasional activity.

- An important goal is to develop children's capacity to communicate effectively with people who are different from themselves.

Research Review

The increasing linguistic and cultural diversity in many Head Start programs reflects long-term demographic trends in the United States. Although all people are rooted in culture, it is also important to recognize that people are also individuals. Within any cultural group, there may be differences in how children are raised. It is, therefore, important to avoid thinking of all members of one culture as "the same." Instead, we must work to understand and appreciate each child and each family for their uniquenesses.

Cultural Transmission: The Role of Routines

Valsiner (1997) offered one explanation of how cultural and individual differences are connected. He argued that feeding and mealtimes provide the "microcosm within which cultural patterning of behavior begins and where the (individual) child is confronted with cultural knowledge about the world" (p. 214).

During mealtimes, adults purposefully limit some of the children's actions and promote others, thus shaping (not determining) future development. Parents and family members model and explain if and how the child may feed himself, what and how much the child may eat, and how food is prepared, served, and stored.

According to Valsiner (1997), children are exposed to cultural information at every meal. The information is transmitted both directly and indirectly. For example, as children eat they are provided with direct instructions (e.g., sit up straight, chew with your mouth closed, eat everything on your plate). Direct instruction may also convey information related to religious, community, social, and other family contexts.

However, direct instruction is not the only way in which culture is communicated. Within the structured occasion of meals, family members indirectly expose children to different ways of thinking and behaving (Valsiner 1997, 226). In these instances, and often before much direct instruction takes place, children are exposed to ways of acting and interacting by observing family members and others. During mealtimes, even very young children come to see what is done, how, and by whom. Young children may:

- observe food preparation and household tasks;

- take part in conversations and hear their parents express opinions;

- be exposed to stories, humor, and grief;

- receive religious instruction;

- be instructed in polite forms of communication and behavior; and

- observe and overhear comments about community events.

The key component of this indirect exposure to cultural information becomes the child's active role in taking it in. That is, a child does not take in information "verbatim,"

nor does he or she access all information in the same way. Instead, children process information as it comes to them, actively "making sense" of what they see and hear. Even very young children compare observations from one environment with those from other environments.

Key Implications

Cultures differ in many ways in their approach to feeding and mealtimes. The culture can provide structure to these events as well as initiate children into practices and procedures defined as "acceptable." Nevertheless, individuals within a culture make their own choices about how to live, how to act, what values to hold, and what beliefs are personally important.

A key finding within the research literature is that children acquire cultural information through different pathways. At times, children receive direct instruction in cultural rules and expectations, such as mealtime behavior. At other times, children acquire cultural information through their own observations of family members (as well as extended family). Children also observe the teachers and other adults in their Head Start program, adults who provide child care, and members of their communities. Simply put, all adults are role models when they are in the same environment as children. Therefore, the implication of cultural transmission for program staff is that they must develop ways of communicating with families so that knowledge of their daily lives can be used to inform decisions about the classroom environment.

VOICES FROM THE HEAD START COMMUNITY

A Head Start classroom teacher in Kansas shared that throughout all her years of teaching she had not thought much about her heritage or her family's culture. One day she was reading a story to the children about an Italian grandmother who joyfully prepared dinner for her family. It was a moment of epiphany for her. The story brought her "home." The connection made to her family and the pride she felt about her Italian heritage suddenly surfaced. She stated that prior to that moment she did not understand how powerful multicultural programming could be for children.

A week later she chose a storybook about an American Indian child, as there was one child of American Indian heritage in her class. At that time, there was very little representation of the child's culture in the curriculum. She shared that the child immediately approached her after she read the story. They spent some time looking at the pictures in the book and revisiting the pages that interested the child. The teacher sent the book home with the child and encouraged her to share it with her family. This simple gesture resulted in a stronger relationship between the Head Start center and the family. During the next month, the child's mother came to the classroom as a volunteer, and her parents came together to the parent meeting the following month.

Reflective Questions/Activities

1. If your program serves infants and toddlers: How does your program gather information about the caregiving practices of families? For example, how do you understand how a family feeds its child, puts the child to sleep, or holds the child?

2. For preschool-age children, how do your classrooms reflect the cultures of the children enrolled? How do daily learning experiences allow children to learn about and develop respect for other cultures?

3. What opportunities do parents have to form relationships with other parents and to develop new understandings of individuals from different cultural groups with the community?

PRINCIPLE 9:

Culturally relevant and diverse programming examines and challenges institutional and personal biases.

Highlights from the Original *Multicultural Principles* (1991)

- Program systems and services should be reviewed for institutional bias.

- Skills to deal with bias must be taught to children.

Research Review

One challenge to understanding culture involves the way we acquire it. Rogoff (1990) posed the problem this way: We are "blind" to our own culture because our way of thinking and living, built up over a lifetime, has become a habit. Although all humans live within one or more cultures, our cultural knowledge is often subconscious. As much of what we do on a daily basis (e.g., working, eating, relaxing, raising children) involves routines, we rarely consciously think of culture as shaping our behavior at all.

Another challenge to understanding culture involves the personal, social, and emotional aspects of cultural information and ways of living. Our way of thinking and living, built into habits since childhood, naturally lead us to think that our way of doing things is the "right way." We tend to notice culture when we encounter differences, and our reaction is often to confirm our own expectations and ideas.

Key Implications

Our personal cultural backgrounds influence how we think, the values that we hold, and the practices we use to support children's development. In addition, our ways of acquiring culture, going back to our earliest childhood, influence how we approach thinking and talking about culture. Although a full review of resources is beyond the scope of this document, programs are encouraged to develop and implement long-term approaches and processes to address these important issues.

VOICES FROM THE HEAD START COMMUNITY

In Florida, a Head Start grantee tried to ensure that all classrooms were staffed with bilingual teachers, but found that this was becoming more difficult because of the increasing needs of culturally diverse classrooms and family child care homes. Although the program had developed written policies on language use years ago, the policies focused only on English- and Spanish-speaking children and families. Since then, multiple languages had come to be represented by the program's enrolled families, who were from different regions of Mexico (e.g., Mixteco, Huastec, Trique) and other countries (e.g., Cambodia, Laos). There was growing confusion about the appropriateness of introducing a new language when young children had yet to master their first language. There was even more confusion about how to support children who spoke a language none of the program staff could speak. In addition, many parents, not understanding the full implications of losing one's first language, expressed their strong desire for their children to hear only English at the Head Start program.

As the program began to reach out to volunteers and staff who were from the same cultures of the children and who spoke their languages, tensions began to rise within the program. The English-speaking staff confronted the program administrator because they were uncomfortable when other employees were speaking Spanish or other languages in the staff lounge. They did not see the need for this outside of the classroom.

Program managers knew they needed to address the situation quickly. They decided to hold several staff forums to discuss the value of bilingualism and how communication in both languages in and outside of the classroom gave equal status to both groups.

The program management then invited a round table of expert consultants to meet numerous times with education coordinators and directors, program managers, and other key staff representative of varied cultures and backgrounds. Convening these meetings set in motion a series of highly reflective and research-based discussions about experiences that made a real difference in the lives of those around the table. One goal was to identify best practices that would support the developmental needs of children who were learning their first language and experiencing their own culture while also in the midst of multicultural educational experiences and English learning. An additional goal was to articulate a program-wide philosophy and practice that embraced diversity, including addressing how adults use language in and outside of the classroom.

The result of the meetings over a 6-month period created a consistent understanding and buy-in of what should be contained in the grantee's Policies and Procedures on Language and Multicultural Principles.

The program staff worked to develop policies and procedures that included:

1. a statement of philosophy, in which statements about the program's beliefs about first- and second-language acquisition were put together on one page;

2. detailed statements about key research evidence of first- and second-language acquisition as well as early literacy development;

3. guidance for center managers and directors on hiring practices;

4. information on creating program–parent partnerships in order to support children's development to the fullest extent;

5. information on interpersonal communication between staff members, with parents, and throughout the program, including clarification on the use of languages other than English in working with children and throughout program services and systems; and

6. specific guidance on how the program supports (through trained volunteers, staff, community members, etc.) teachers and classrooms when there are multiple languages present.

The revised policies and procedures, once finalized in draft, were then presented to the agency's Parent Policy Council and Board of Directors for review and approval. Both groups were enthusiastic about the revision process, asked many questions, and gave their full support for the work.

Reflective Questions/Activities

1. How do the preservice and in-service trainings in your program address and provide opportunities and information for staff to develop their abilities to examine and challenge institutional and personal biases?

2. Think about what your response would be if a parent in your program tells you that his or her

   - 3-month-old is ready to begin toilet training;

   - 1-year-old should not be encouraged to walk;

   - 2-year-old should be fed by teachers;

   - 3-year-old drinks from a bottle;

   - 4-year-old should have access to coloring books daily; or

   - 5-year-old should not "waste time" in pretend play.

   How might your response influence your future relationship and communication with the family? How might your response influence your future work with the child?

3. Does your program incorporate reflective supervision practices so that staff have opportunities to reflect on their efforts to involve families in Head Start systems and services?

PRINCIPLE 10:

Culturally relevant and diverse programming and practices are incorporated in all systems and services and are beneficial to all adults and children.

Highlights from the *Original Multicultural Principles* (1991)

- To achieve Head Start goals and maximize child and family development, these principles must not be limited to the education component but must be applied to all aspects of the program.

Although Head Start no longer uses the term components to indicate program services, the need to disseminate information and to obtain buy-in from program staff, parents, and community partners on these Principles is essential.

Information on cultural relevance and dual-language development is complex, and implications for practice vary based on specific program conditions (e.g., staff are monolingual English speakers, staff are bilingual). However, the complexity of the content information requires that Head Start programs further examine their processes and practices within self-assessment, community assessment, child assessment, family partnerships, individualized curriculum, effective learning environments, health services, governance, and other elements of their program. A main task for programs is to connect the information on culture and dual-language development with Head Start systems and services.

Clearly, administrative leadership is essential to developing systems and services that address cultural relevance and dual-language development. Examples of specific aspects of leadership include: initiating the project; information gathering—current assessment of the organization; planning; communication; developing training opportunities and training and technical assistance (T/TA) plans; development of written policies—including policies for hiring; and budgeting.

In *Neurons to Neighborhoods*, the National Research Council and Institute of Medicine (2000) presented key elements of a culturally competent service system:

1. Monitor assessment procedures and instruments to ensure appropriateness and validity.

2. Identify groups that are underserved and eliminate cultural barriers that interfere with service delivery.

3. Organize planning, staff training, and community participation in order to deliver culturally competent services.

4. Define the location, size, characteristics, resources, and needs of culturally diverse populations within the service area.

5. Build cross-cultural communication skills.

6. Help diverse communities to organize themselves to improve the availability and use of needed services.

In addition, the authors recommend that the family—as defined by the cultural perspective of the target population—be the focus of service delivery.

In the original *Multicultural Principles*, it was recommended that Head Start directors schedule time to "review and discuss these principles with all component coordinators as a group" (Administration for Children, Youth, and Families 1991, 3). In this version, we suggest that Head Start directors and their management teams—including parents and community partners—develop both short- and long-term plans and processes to consider the ways in which:

1. culture(s) and languages (both English and the home languages of families) influence the lives of program staff;

2. culture(s) and languages (both English and the home language) influence the lives of the children and families;

3. attitudes, values, and beliefs are culture bound and shape our behaviors/teaching practices;

4. cultures and different home languages can be overtly respected and supported;

5. reflections on cultural issues can be integrated into daily classroom practices; and

6. reflections on cultural issues can be integrated into family partnership agreements and family services practices.

VOICES FROM THE HEAD START COMMUNITY

A program in New York provided four vignettes describing its work across service areas and systems.

To support the diverse families we serve in our program, we knew we had to reach out to our community. Our program planned a Community Resource Fair. We held a brainstorming session with many staff prior to our event to really focus on our goals and outreach efforts. We connected with local universities, community colleges, and local health and medical agencies. Through our Resource Fair, we began partnerships with a community college. We had medical students come and help with initial health screenings. Many of our new partners spoke the languages of our families.

Our program needed to boost the family literacy activities at our center. I went to the library in the community to find out what outreach services the library offers. During this visit, I set up a used book donation for our program, planned a schedule for storytelling, and gave families monthly library schedules for library activities. We found out we could host a parent meeting at the library, and, in turn, families got to tour the library and find out about services. Each family received a library card; some were amazed by how many books one could check out. The library did not have books in all the home languages our families needed, but by attending meetings and inquiring about the needs of our community, the library staff eventually ordered books in many of our home languages.

For all families to feel welcome, our program created a team dedicated to assessing what could be done to be more inclusive of the diverse families in our school. The team consisted of staff, parents, and community volunteers. The team looked at the building, classrooms, menus, and more. Some of the changes included adding a welcome mat with different languages to the front of our building; making sure the documents at our front desk were in many languages; and providing mint tea, ginger tea, and different pastries at our parent meetings. We also worked with our local public schools for translation services.

Over the years, our program went from a program with maybe 2 or 3 home languages to a program with more than 20! We wanted to ensure that our staff could incorporate all the different cultural differences, so we began with cultural sensitivity training. Looking at our own cultural biases and discussing any concerns or areas that made us uncomfortable was the way we began to understand the true needs of our program. We were also able to tie this to professional development for all staff.

Reflective Questions/Activities

To further support the work of addressing culture and home languages in Head Start program operations, the following list of Guiding Questions for program management teams has been created:

1. **Do you assess the current state of affairs in your program with regard to cultural responsiveness and dual-language acquisition?**

   • *Guiding Questions*: What knowledge of cultural groups does program staff have? What is the awareness level of staff at different levels within the organization? Does your program have written policies that address cultural relevance and home language and/or are they in need of revision? How do the systems, services, and practices visibly demonstrate your knowledge and awareness?

2. **Have you created plans for the next program year that extend or expand upon current practices, policies, and/or systems?**

   • *Guiding Questions*: How does your program address issues of cultural relevance and home language during your self-assessment process? Where are your program strengths in these areas? What have you done to address stereotypes and bias? What are some "next steps"?

3. **Does the administrative leadership represent the population you serve? Do you build in administrative leadership by providing professional development on issues of culture and home languages?**

   • *Guiding Questions*: How is your program's approach to issues of cultural relevance and home language organized? Do you have formal committees or working groups? Or do these efforts tend to be the work of one person? What administrative supports are attached to ongoing work on these issues?

4. **Are you (and your staff) clear on long-term goals?**

   • *Guiding Questions*: Does your program have written goals for work on issues of cultural relevance and home language in written form that are widely disseminated in your agency? Do these goals address the range of issues identified in the preceding text? How often are these goals reviewed and/or revised? Do your T/TA plans reflect these goals? Does your program find ways to recognize and celebrate progress made in working on these issues?

5. **Have you identified tangible short-term objectives?**

   • *Guiding Questions*: Does your program have specific short-term objectives for work on issues of cultural relevance and home language in written form that are widely disseminated in your agency? How is work on these objectives monitored and evaluated? Does your program find ways to recognize and celebrate progress made in working on these issues?

APPENDIX A

Definitions of Culture

"The organized and common practices of particular communities."
> Rogoff, B. 1990. *Apprenticeship in thinking.* New York: Oxford University Press. (p. 110)

"An instrument people use as they struggle to survive in a social group."
> de Melendez, W. R., & V. Ostertag. 1997. *Teaching young children in multicultural classrooms.* Albany: Delmar Publishers. (p. 45)

"That complex whole which includes knowledge, belief, art, morals, custom, and any other capabilities and habits acquired by man as a member of society."
> Altarriba, J. 1993. The influence of culture on cognitive processes. In *Cognition and culture: A cross-cultural approach to cognitive psychology*, ed. J. Altarriba, 379–384. Amsterdam: North-Holland. (p. 379)

"A shared organization of ideas that includes the intellectual, moral, and aesthetic standards prevalent in a community and the meaning of communicative actions."
> Lubeck, S. 1994. The politics of DAP. In *Diversity and developmentally appropriate practices: Challenges for early childhood education*, ed. B. L. Mallory and R. S. New, 17–43. New York: Teachers College Press. (p. 21)

"A framework that guides and bounds life practices."
> Hanson, M. J. 1992. Ethnic, cultural, and language diversity in intervention settings. In *Developing cross-cultural competence*, ed. E. W. Lynch and M. J. Hanson, 3–18. Baltimore, MD: Paul H. Brookes. (p. 3)

"Shared understanding, as well as the public customs and artifacts that embody these understandings."
> Strauss, C., & N. Quinn 1992. Preliminaries to a theory of culture acquisition. In *Cognition: Conceptual and methodological issues* , ed. H. L. Pick, Jr., P. van den Brock, and D. C. Knill, 267–294. Washington, DC: American Psychological Association. (p. 267)

"The complex processes of human social interaction and symbolic communication."
> Hernandez 1989, quoted in de Melendez, W. R., & V. Ostertag. 1997. *Teaching young children in multicultural classrooms*. Albany: Delmar Publishers. (p. 45)

"All that is done by people."
> Freire 1970, quoted in de Melendez, W. R., & V. Ostertag. 1997. *Teaching young children in multicultural classrooms*. Albany: Delmar Publishers. (p. 45)

"Patterns, explicit and implicit, of and for behavior acquired and transmitted by symbols, constituting the distinctive achievement of human groups, including their embodiments in artifacts."
> Laboratory of Comparative Human Cognition 1982, quoted in Leung, B. P. 1994. Culture as a contextual variable in the study of differential minority student achievement. *Journal of Educational Issues of Language Minority Students* 13:95–105. http://www.ncela.gwu.edu/files/rcd/BE019743/Culture_as_a_Contextual.pdf

"A set of activities by which different groups produce collective memories, knowledge, social relationships, and values within historically controlled relations of power."
> Giroux, H. A., ed. 1991. *Postmodernism, feminism and cultural politics: Redrawing educational boundaries*. Albany: State University of New York Press. (p. 50)

"The ways and manners people use to see, perceive, represent, interpret, and assign value and meaning to the reality they live or experience."
> de Melendez, W. R., & V. Ostertag. 1997. *Teaching young children in multicultural classrooms*. Albany: Delmar Publishers. (p. 45)

"Not so much a matter of an inert system in which people operate, but rather a historical construction by people that is always changing."
> Henry Glassie 1992, quoted in Ovando, C. J., & V. P. Collier. 1998. *Bilingual and ESL classrooms: Teaching in multicultural contexts*. 2nd ed. Boston: McGraw-Hill. (p. 135)

APPENDIX B

The Original Multicultural Principles for Head Start Programs *(1991)*

1. Every individual is rooted in culture.

2. The cultural groups represented in the communities and families of each Head Start program are the primary sources for culturally relevant programming.

3. Culturally relevant and diverse programming requires learning accurate information about the culture of different groups and discarding stereotypes.

4. Addressing cultural relevance in making curriculum choices is a necessary, developmentally appropriate practice.

5. Every individual has the right to maintain his or her own identity while acquiring the skills required to function in our diverse society.

6. Effective programs for children with limited English speaking ability require continued development of the first language while the acquisition of English is facilitated.

7. Culturally relevant programming requires staff who reflect the community and families served.

8. Multicultural programming for children enables children to develop an awareness of, respect for, and appreciation of individual cultural differences. It is beneficial to all children.

9. Culturally relevant and diverse programming examines and challenges institutional and personal biases.

10. Culturally relevant and diverse programming and practices are incorporated in all components and services.

References

Administration for Children and Families. Office of Head Start. 2008. *Dual language learning: What does it take? Head Start dual language report.* Washington, DC: Author, http://eclkc.ohs.acf.hhs.gov/hslc/Dual%20Language%20Learners

Administration for Children, Youth, and Families. 1991. *Information memorandum: Multicultural principles for Head Start programs Log No. ACYL-IM-91-03.* Washington, D.C.: Administration for Children, Youth, and Families, U.S. Department of Health and Human Services.

Altarriba, J. 1993. The influence of culture on cognitive processes. In *Cognition and culture: A cross-cultural approach to cognitive psychology,* ed. J. Altarriba, 379–384. Amsterdam: North-Holland.

Bialystok, E. 2001. *Bilingualism in development: Language, literacy, and cognition.* Cambridge, England: Cambridge University Press.

Bredekamp, S., & C. Copple. 1997. *Developmentally appropriate practice in early childhood programs serving children from birth through age 8.* 2nd ed. Washington, DC: National Association for the Education of Young Children.

Bredekamp, S., & C. Copple. 2009. *Developmentally appropriate practice in early childhood programs serving children from birth through age 8.* 3rd ed. Washington, DC: National Association for the Education of Young Children.

Bronson, M. B. 1995. *The right stuff for children birth to 8: selecting play materials to support development.* Washington, DC: National Association for the Education of Young Children.

Caplan, N., M. H. Choy, & J. K. Whitmore. 1992. Indochinese refugee families and academic achievement. *Scientific American* 266:36–42.

Chavajay, P., & B. Rogoff. 1999. Cultural variation in management of attention by children and their caregivers. *Developmental Psychology* 3:1079–1090.

Cohen, R. 1978. Ethnicity: Problem and focus in anthropology. *Annual Review of Anthropology* 7:379–403.

Collier, V. P. 1995. Acquiring a second language for school. *Directions in Language & Education: National Clearinghouse for Bilingual Education* 1:4, http://www.ncela.gwu.edu/pubs/directions/04.htm

de Melendez, W. R., & V. Ostertag. 1997. *Teaching young children in multicultural classrooms.* Albany, NY: Delmar Publishers.

Derman-Sparks, L. 1989. *Anti-bias curriculum: Tools for empowering young children.* Washington, DC: National Association for the Education of Young Children.

Derman-Sparks, L. 1995. How well are we nurturing racial and ethnic diversity? In *Rethinking schools: An agenda for change*, ed. D. Levine, R. Lowe, B. Peterson, and R. Tenorio, 17–22. New York: New Press.

Freeman, Y. S., & D. E. Freeman. 1992. *Whole language for second language learners.* Portsmouth, NH: Heinmann.

Garcia-Preto, N. 2005. Puerto Rican families. In *Ethnicity and family therapy.* 3rd ed., ed. M. McGoldrick, J. Giordano, and N. Garcia-Preto, 242–255. New York: Guilford Press.

Gay, G. 2000. *Culturally responsive teaching: Theory, research, and practice.* New York: Teacher's College.

Genesee, F., J. Paradis, & M. B. Crago. 2004. *Dual language development and disorders.* Baltimore, MD: Paul H. Brookes.

Gestwicki, D. 1995. *Developmentally appropriate practice: Curriculum and development in early education.* Albany, NY: Delmar Publishers.

Giroux, H. A., ed. 1991. *Postmodernism, feminism and cultural politics: Redrawing educational boundaries.* Albany: State University of New York Press.

Gonzalez-Mena, J. 1992. Taking a culturally sensitive approach in infant–toddler programs. *Young Children* 47:4–9.

Gonzalez-Mena, J. 1995. Cultural sensitivity in routine caregiving tasks. In *Infant/toddler caregiving: A guide to culturally sensitive care*, ed. P. Mangione, 12-19. Sacramento, CA: Far West Laboratory and California Department of Education.

Gonzalez-Mena, J. 2001. *Foundations: Early childhood education in a diverse society.* Mountain View, CA: Mayfield.

Gonzalez-Mena, J. 2008. *Diversity in early care and education: Honoring differences.* 5th ed. Washington, DC: National Association for the Education of Young Children.

Halgunseth, L., J. Ispa, A. Csizmadia, & K. Thornburg. 2005. Relations among maternal racial identity, maternal parenting behavior, and child outcomes in low-income, urban, Black families. *Journal of Black Psychology* 31:418–440.

Hanson, M. J., & E. W. Lynch. 1992. *Developing cross-cultural competence.* Baltimore, MD: Paul H. Brookes.

Harry, B., & M. Kalyanpur. 1994. Cultural underpinnings of special education: Implications for professional interactions with culturally diverse families. *Disability & Society* 9:145–165.

Hart, B., & T. R. Risley. 1995. *Meaningful differences in the everyday experience of young American children*. Baltimore, MD: Paul H. Brookes.

Hart, B., & T. Risley. 1999. *The social world of children learning to talk*. Baltimore, MD: Paul H. Brookes.

Jackson, J., R. Taylor, & L. Chatters. 1997. *Family life in Black America*. Thousand Oaks, CA: Sage Publications.

Keefe, S. E., & A. M. Padilla. 1987. *Chicano ethnicity*. Albuquerque: University of New Mexico Press.

Leung, B. P. 1994. Culture as a contextual variable in the study of differential minority student achievement. *The Journal of Educational Issues of Language Minority Students* 13:95–105.

Lipson, J. G., & S. L. Dibble. 2005. *Culture and clinical care*. Berkeley: University of California Press.

Lubeck, S. 1994. The politics of DAP. In *Diversity and developmentally appropriate practices: Challenges for early childhood education*, ed. B. L. Mallory and R. S. New, 17–43. New York: Teachers College Press.

Miller, J. F., J. Heilmann, A. Nockerts, A. Iglesias, L. Fabiano, & D. J. Francis. 2006. Oral language and reading in bilingual children. *Learning Disabilities Research and Practice*, 21:30–43.

Moore-Hines, P., & N. Boyd-Franklin. 2003. African American families. In *Ethnicity and family therapy*, ed. M. McGoldrick, J. Giordano, and N. Garcia-Preto, 87–100. New York: Guildford Press.

National Association for the Education of Young Children. 1996. *Responding to linguistic and cultural diversity: Recommendations for effective early childhood education*. Washington, DC: Author.

National Research Council and Institute of Medicine. 2000. *From neurons to neighborhoods: The science of early childhood development*. Washington, DC: National Academies Press.

Oller, D. K., R. E. Eilers, R. Urbano, & A. B. Cobo-Lewis. 1997. Development of precursors to speech in infants exposed to two languages. *Journal of Child Language*, 24:407–425.

Ovando, C. J., & V. P. Collier. 1998. *Bilingual and ESL classrooms: Teaching in multicultural contexts*. 2nd ed. Boston: McGraw-Hill.

Phillips, C. B. 1995. Culture: A process that empowers. In *Infant/toddler caregiving: A guide to culturally sensitive care*, ed. P. Mangione, 2-9. Sacramento, CA: Far West Laboratory and California Department of Education.

Petito, L. A., M. Katerelos, B. G. Levy, K. Gauna, K. Tetreault, & V. Ferraro. 2001. Bilingual signed and spoken language acquisition from birth: Implications for the mechanisms underlying early bilingual language acquisition. *Journal of Child Language* 28:453–496.

Rogoff, B. 1990. *Apprenticeship in thinking: Cognitive development in social context*. Cambridge, England: Cambridge University Press.

Rogoff, B. 2003. *The cultural nature of human development.* New York: Oxford University Press.

Rogoff, B., & C. E. Mosier 2003. Privileged treatment of toddlers: Cultural aspects of individual choice and responsibility. *Developmental Psychology* 39:1047–1060.

Rodríguez, J. L., R. M. Díaz, D. Duran, & L. Espinosa. 1995. The impact of bilingual preschool education on the language development of Spanish-speaking children. *Early Childhood Research Quarterly*, 10:475–490.

Small, M. F. 1998. *Our babies, ourselves: How biology and culture shape the way we parent.* New York: Anchor.

Snow, C. E., M. S. Burns, & P. Griffin. 1998. *Preventing reading difficulties in young children.* Washington, DC: National Academies Press.

Strauss, C., & N. Quinn. 1992. Preliminaries to a theory of culture acquisition. In *Cognition: Conceptual and methodological issues*, ed. H. L. Pick, Jr., P. van den Brock, & D. C. Knill, 267–294. Washington, DC: American Psychological Association.

Sue, D. W. 1998. *Multicultural counseling competencies: Individual and organizational.* Thousand Oaks, CA: Sage Publishers.

Tudge, J., & S. E. Putnam. 1997. The everyday experiences of North American preschoolers in two cultural communities: A cross-disciplinary and cross-level analysis. In *Comparisons in human development: Understanding time and context*, ed. J. Tudge, M. J. Shanahan, & J. Valsiner, 253–281. New York: Cambridge University Press.

Valsiner, J. 1997. *Culture and the development of children's action: A theory of human development.* New York: Wiley.

Vega, W. A., & R. G. Rumbart. 1991. Ethnic minorities and mental health. *Annual Review of Sociology*, 17:351–383.

Vermeersch, E. 1977. An analysis of the concept of culture. In *The concept and dynamics of culture*, ed. B. Bernardi, 9–73. The Hague, The Netherlands: Mouton.

Winsler, A., R. M. Díaz Espinosa, & J. Rodríguez. 1999. When learning a second language does not mean losing the first: Bilingual language development in low-income, Spanish-speaking children attending bilingual preschool. *Child Development*, 70, 349–262.

Additional Resources

The following references were useful in shaping this document.

Bhavnagri, N. P., & J. Gonzalez-Mena. 1997. The cultural context of infant caregiving. *Childhood Education* 74:2–8.

Blount, B. G., & P. Schwanfenflugel. 1993. Cultural bases of folk classification systems. In *Cognition and culture: A cross-cultural approach to cognitive psychology*, ed. J. Altarriba, 3–22. Amsterdam: North-Holland.

Bowman, B. T., & F. M. Scott. 1994. Understanding development in a cultural context: The challenge for teachers. In *Diversity and developmentally appropriate practices: Challenges for early childhood*, ed. B. Mallory & R. New, 199–133. New York: Teacher's College Press.

Bredekamp, S. 1987. *Developmentally appropriate practice in early childhood programs serving children from birth through age 8.* Washington, DC: National Association for the Education of Young Children.

Bredekamp, S., & T. Rosegrant. 1992. *Reaching potentials: Appropriate curriculum and assessment for young children.* Washington, DC: National Association for the Education of Young Children.

Bredekamp, S., & T. Rosegrant. 1995. *Reaching potentials: Transforming early childhood curriculum and assessment.* Washington, DC: National Association for the Education of Young Children.

Collier, V. P. 1988. The effect of age on acquisition of a second language for school. *NCBE FOCUS: Occasional Papers in Bilingual Education*, no. 2 (Winter 1987/1988), http://www.ncela.gwu.edu/pubs/classics/focus/02aage.htm

Epstein, A. S. 2007. *The intentional teacher: Choosing the best strategies for young children's learning.* Washington, DC: National Association for the Education of Young Children.

Fueyo, V. 1997. Below the tip of the iceberg: Teaching language minority students. *Young Exceptional Children* 2:61–65.

Gonzalez-Mena, J. 1993. *The child in the family and the community.* New York: Macmillan Publishing.

Harry, B. 1992. *Cultural diversity, families and the special education system: Communication and empowerment.* New York: Teachers College Press.

Harwood, R. L., J. G. Miller, & N. L. Irizarry. 1995. *Culture and attachment: Perceptions of the child in context.* New York: Guilford Press.

Heath, S. B. 1983. *Ways with words: Language, life, and work in communities and classrooms.* New York: Cambridge University Press.

Mallory, B. L., & R. S. New. 1994. *Diversity and developmentally appropriate practices: Challenges for early childhood education.* New York: Teachers College Press.

McCathren, R. B., & A. L. Watson. 1999. Facilitating the development of intentional communication. *Young Exceptional Children* 3:12–19.

Meadows, S. 1996. *Parenting behaviour and children's cognitive development.* Bristol, England: Psychology Press.

Paul, R., & M. Shiffer. 1991. Communicative initiations in normal and late-talking toddlers. *Applied Psycholinguistics* 12:419–431.

Riojas-Cortez, M. 2000. It's all about talking: Oral language development in bilingual classrooms. *Dimensions of Early Childhood* 29:11–15.

Riojas-Cortez, M. 2000. Mexican American children create stories: Sociodramatic play in a dual language kindergarten classroom. *Bilingual Research Journal* 24, http://brj.asu.edu/v243/articles/art6.html

Saracho, O. N., & F. M. Hancock. 1983. Mexican-American culture. In *Understanding the multicultural experience in early childhood education,* ed. O. N. Saracho and B. Spodek, 3–15. Washington, DC: National Association for the Education of Young Children.

Siegler, R. S. 1998. *Children's thinking.* 3rd ed. Upper Saddle River, NJ: Prentice Hall.

Wertsch, J. V. 1991. *Voices of the mind: A sociocultural approach to mediated action.* Cambridge, MA: Harvard University Press.